à Louise

Amicalement

Joyeux Noël

Anne Sylvie [illegible]

Grands Explorateurs

Laval

Décembre 2002

ANGLETERRE

ENTRE EXCENTRICITÉ ET TRADITION

Anne-Sophie TIBERGHIEN

Texte de

Daniel DE BRUYCKER

ANAKO Éditions

ISBN 2-907754-41-6

ALBION LA BLANCHE

"Notre Angleterre est un jardin,
mais on ne fait pas de tels jardins en chantant."
KIPLING

"Comme terre illustre et libre, je l'admire
et comme asile je l'aime."
VICTOR HUGO, Guernesey.

à Sigrid et Suliac

Au début, tout est blanc comme la première page d'un livre que nul n'a commencé d'écrire, d'une pâleur de craie qui semble étouffer jusqu'au clapotis des vagues contre les bordages.

D'abord on n'entend rien non plus, mais peu à peu, à mesure que l'oreille s'accoutume au silence cotonneux de la brume de mer, voici venir les premiers bruits, vagues rumeurs s'élevant çà et là, par bouffées fugitives aussitôt noyées à nouveau sous le grand dais livide du brouillard : grognements sourds, pièces de bois qui s'entrechoquent...

Comme un pas sur l'eau calme, une rangée d'avirons fend en cadence la surface des vagues, le tambour de chiourme battant tel le cœur d'un géant. Cela repart, puis revient, s'éloigne encore... A un moment, une voix sortie de nulle part clame un ordre dans une langue inconnue ; un long appel de trompe résonne quelque part dans la brume – ou peut-être une vache meuglant au loin...

Cela sent la terre ferme : au remugle de vase des hauts-fonds se mêlent comme une odeur d'herbe mouillée et par bouffées celle d'un feu de bois. Les bruits cependant se multiplient encore : cris de bêtes, presque humains parfois, chocs d'objets de bronze, de fer ou de fonte ; sons de cloche, tintements de grelots, rumeurs de prières ou de marché, fracas de bataille ou de fêtes, airs de danse sur des rythmes langoureux ou brutaux, et le hennissement apeuré d'un cheval se mêlant à l'ahan régulier d'une sorte de machine. Une odeur de suie, plus dense à chaque instant, flotte dans la brume opaque qui vire lentement au gris sale puis au brun fuligineux, se confondant avec l'eau huileuse et malodorante qui glisse le long des flancs de la barque – jusqu'à ce que le brouillard, par une dernière métamorphose, se fasse soudain noir et luisant comme un mur de pierre baigné mille ans durant par le flux et le reflux de cette eau grasse et charbonneuse ; sur le mur se détache une rangée d'échelons ; depuis le bord du quai une main se tend, un visage rougeaud se penche et une voix gouailleuse lance : *"Goo' mornin', love ! Foine weather for a noice strong cuppa, eh[1] ?"*

Et ce salut, cet accent, cette langue, brusquement je les reconnais, par-delà un quart de siècle de bourlingue aux quatre vents ! Ces bruits, cette odeur de pierre mouillée et de gaz d'échappement, ce brouillard enfumé : ai-je pu les oublier si vite ? Londres, bien sûr – ma première terre d'exil, ma première île !

1. "Salut, chérie ! Beau temps pour une bonne jatte bien serrée, non ?"

Mais le spectacle de blancheur qui m'avait accueillie cette fois-là ressemblait si peu à celui de ce matin ! Du blanc, oui – mais celui, éclatant de lumière, des falaises de Douvres, superbement tendues à la verticale entre le bleu chaud de la mer et celui, inoubliable, d'un ciel sans nuages ! Une aubaine et une splendeur après lesquelles plus jamais, dans mon souvenir, ce pays et ses gens ne seraient comme trop souvent on les imagine – et comme parfois, c'est vrai, on les retrouve : un air humide, brumeux et frisquet, un sol "pas assez sec pour y marcher, pas assez mouillé pour y flotter" et, derrière les vitres embuées de ses cottages, tout un peuple frileusement, timidement, obstinément recroquevillé sur son thé de cinq heures au coin du feu...

Albion, "l'île blanche", oui – mais non, pour moi, de ce blanc livide et fuyant du brouillard : de celui, fier et comme vivant, des falaises au grand soleil ! Je me souviens, et toujours il m'en restera quelque chose...

*

* *

Elles furent la voie d'arrivée des Bretons puis des Romains, tandis que Saxons et Vikings viendront plutôt par les grands estuaires brumeux de la côte est, dont celui de la Tamise. A eux aussi, les uns comme les autres, il en restera toujours quelque chose.

Les premiers venaient du cœur de l'Europe ou des rivages de la Méditerranée, pays de beaux étés où, même l'hiver, le vin ensoleille les cœurs. Et, éleveurs bretons encore nomades ou légionnaires romains, venus à cheval ou à pied jusqu'aux rivages du Pas-de-Calais – le bout du monde en somme –, voici qu'ils découvrent sur l'horizon ce liseré pâle, ce fantôme de rivage, cette île presque spectrale !

Ils traversent, livrent quelques batailles et s'installent, mais jamais ce ne sera tout à fait chez eux. Les Bretons, avec leurs grands yeux clairs de Celtes, voient les forêts profondes et les landes venteuses, les menhirs et les dolmens semés partout, la grande roue de pierre de Stonehenge et l'alphabet minéral d'Avebury, et ils comprennent : cette île est sacrée, ou alors hantée, mi-temple mi-cimetière. Ils y vivront, puisqu'un destin les a menés là – mais sans toucher à rien, en passagers du vent, sachant qu'un jour le même destin leur demandera de repartir.

Les Romains, avec leur regard perçant de régisseurs d'empire, voient les plaines à labourer, les marais à drainer, les herbages à clôturer, et ils imaginent leur colonie de Bretagne : de vastes fermes bien tenues, des forts carrés pour surveiller, des chaussées droites par où la troupe montera aux frontières et les produits descendront vers les marchés, puis les ports, puis Rome. Ils vont y vivre en effet, bâtir et gouverner un monde refait à leur image – mais jamais ce ne sera vraiment comme ils l'avaient rêvé... Pas assez de soleil pour la vigne et trop d'ombres partout pour eux-mêmes, et puis tous ces sauvages – Bretons rebelles, pirates scots d'Irlande, pillards pictes d'Ecosse – qu'on n'en finit pas de devoir repousser, contre qui Hadrien a levé pour rien, dans le Nord, un colossal rempart de cent dix-huit kilomètres de long. Et puis un jour les mêmes sauvages ou d'autres se mettent à surgir de partout à la fois, traversant les Gaules, ravageant l'Italie, brûlant Rome... Rome ! Les légions tournent bride, les marchands évacuent leur fond de commerce, les intendants plient bagage en hâte et voici la Bretagne livrée à elle-même à nouveau : il ne faudra pas vingt ans pour que s'efface des esprits tout souvenir de l'*imperium* et de son stage de civilisation, avant même que l'avoine sauvage ait repoussé entre les dalles des chaussées, la mousse sur le parvis des premières églises chrétiennes et le chardon des landes par-dessus le colossal rempart !

Décidément non, cette île n'est pas faite pour des hommes du soleil – mais bien pour ceux des longues nuits froides et des hivers lugubres, pour ces Saxons qui se morfondent, à l'étroit sur leur bout de Danemark natal, pour ces Vikings qui se battent les flancs, tapis au fond de leurs fjords de Norvège. Pas d'itinéraires sur terre ferme pour ceux-là, mais les hasards, les brumeux sortilèges et les tempêtes hurlantes de la mer du Nord – et puis un matin, surgi comme par enchantement face à la proue en col de cygne ou en tête de dragon de leurs longues barques, un rivage bas et sans banquises, de paisibles rivières s'évasant parmi des collines arrondies, une terre verte sous un ciel presque bleu : la Terre promise, ou peu s'en faut !

Ils débarquent, mais non pas en conquérants : les Saxons viennent presque en invités – moitié colons qui repeupleront les brèches laissées par le départ des Latins, moitié mercenaires pour repousser les brigands scots et pictes –, même si leurs "prompts renforts" viennent bientôt si nombreux et si ravis de l'aubaine que les Bretons, submergés sous le nombre, entendent résonner l'appel du destin et repartent, se rabattant sur le pays de Galles et la Cornouaille pour quelques-uns, sur l'Armorique pour la plupart, laissant les pâturages où ils erraient naguère à ces foules de Jutes, Angles et autres Saxons qui en feront des fermes et s'y sentiront bien, eux qui ne songent pas au vin mais savent apprécier la bière !

Les Vikings non plus ne viennent guère pour la conquête : les raids éclairs du début, dans le fracas des monastères pillés et des fermes brûlées, et même l'invasion en règle à laquelle ils se risquent ensuite, c'est parce qu'il leur faut bien se faire à leur tour une place au doux soleil d'Angleterre ! Mais leur vraie vocation est ailleurs : artisans zélés, commerçants fiables et marins de génie, ce qu'ils préfèrent au fond, c'est bâtir des villes, fonder des marchés et tracer des voies d'échange, tout comme les Romains d'antan.

Certes, il y aura bien quelques gros tiraillements entre roitelets des deux bords pour savoir qui commandera à l'autre – mais pour l'essentiel, entre les Saxons dans leurs fermes en *-dale* et les Vikings dans leurs bourgs en *-by*, l'Angleterre se trouve plutôt mieux partagée que jadis entre magiciens celtes et fonctionnaires romains : les Saxons travaillent à en faire une campagne prospère et les "Danois" un pays animé ; il ne reste qu'à faire de tout cela un Etat qui tienne : les Normands vont s'en charger.

Toujours des Scandinaves, d'anciens voisins au fond – mais qui arrivent par le sud aux blanches falaises, après un détour de deux siècles par la France où ils se sont taillés un riche duché "des hommes du Nord", la Normandie, adoptant au passage, avec une souplesse d'esprit et une soif d'apprendre qui sont tout à leur honneur, le Dieu, la langue, la culture et la coutume féodale du pays.

500 000 av. J.-C.	L'*Homo erectus* de Swanscombe, le premier Anglais (et le premier Européen) connu.
5 000 av. J.-C.	Les glaciers se retirent, la mer remonte : l'Angleterre des chasseurs cueilleurs paléolithiques devient une île.
3 500 av. J.-C.	Des groupes néolithiques venus d'Espagne cultivent la terre, enterrent leurs morts sous des tumuli et édifient les mégalithes d'Avebury et Stonehenge.
1 500 av. J.-C.	Age du bronze, apporté par les tribus de la culture des gobelets (*beakers*).
700 av. J.-C.	Age du fer, introduit par les Bretons, éleveurs celtes semi-nomades.
55-54 av. J.-C.	Incursions sans lendemain de Jules César.
43	Conquête romaine sous l'empereur Claude et fondation de Londres.
61	Révolte des Icènes sous leur reine Boadicée et destruction de Londinium (Londres).
122	Construction du mur d'Hadrien pour contenir les raids des Pictes d'Ecosse.
209	Martyre, près de St Albans, du légionnaire chrétien Alban, témoin de la première évangélisation avortée de l'Angleterre.
410	Les Goths d'Alaric pillent Rome. Rapatriement des forces romaines.
430	Etablissement des Jutes (dans le Kent), des Saxons (de l'Essex au Dorset) et des Angles (de l'Oxfordshire au sud de l'Ecosse).
596	Seconde christianisation, depuis l'archevêché du moine Augustin à Canterbury, puis les abbayes fondées dans le Nord par des saints irlandais.
v. 670	Caedmon, un simple bouvier saxon selon la légende, adapte un hymne biblique en vieil anglais.
793	Premières incursions des Vikings : pillage de l'abbaye de Lindisfarne sur Holy Island.
866	Conquête par les "Danois" de la moitié nord-est de l'Angleterre, le Danelag. Au sud, maintien du royaume saxon d'Alfred le Grand, chef de guerre et grand législateur.
937	Domination saxonne sous le roi Athelstan.
1016	Domination danoise sous le roi Knut, qui fédère les deux nations.
1066	Hastings : Guillaume de Normandie arrache l'Angleterre au prétendant saxon, Harold, qui vient de défaire son rival danois.

Autre voie d'arrivée, autres méthodes : comme jadis les Romains de César, ceux qui débarquent là ne sont pas un peuple en quête d'un lieu où s'implanter, mais une armée venue se tailler un royaume à la pointe de l'épée. Aussi on ne chasse personne, Saxon ni Viking : on bouscule la piétaille adverse en quelques charges de cavalerie lourde à la mode du Continent, prend possession de l'île en beau latin et bâtit partout de gros donjons à la française – la Tour de Londres n'est pas le moins rébarbatif – afin que chacun sache qui est désormais le maître. On dresse même un gigantesque cadastre de tout le pays, le *Domesday Book*, le "Livre du Jugement dernier", recensant scrupuleusement à quel Saxon est chaque ferme et chaque tête de bétail, à quel Viking chaque maison et chaque boutique dans les villes ; mais chacun voit bien qui tient le "stylo" pour écrire tout cela, et tout cela aussi, jusqu'au "stylo" et à la main qui le manie, appartient en dernier ressort au roi et à ses barons normands.

Je ne sais plus qui a écrit que le pub anglais est un endroit fait "pour être seul à plusieurs", mais la phrase me trotte en tête depuis que mon nouvel ami cockney – il s'appelle Bob – m'a ouvert la porte du *Lion and Unicorn*[2]. Boire, manger, lire, jouer aux fléchettes ou au billard, bavarder, flirter, rire, parier, refaire le monde, regarder une course de lévriers à la télé, râler, sommeiller : de table en table derrière les cloisons ou accroché au bar, on y fait pratiquement tout ce qu'on pourrait faire sans rougir dans son propre salon. La seule différence majeure – à savoir qu'il y a une cinquantaine de personnes dans la salle, du copain-depuis-toujours à la parfaite inconnue débarquée du brouillard (moi-même) – ne compte pas vraiment, les uns comme les autres mettant le même soin manifeste à laisser seul celui qui veut le rester qu'à répondre à celui qui préfère être ensemble, voire aussi à mettre dans le coup celui qui voudrait bien mais n'ose pas vraiment ! Grâce à quoi chacun, de toute évidence, se sent parfaitement chez soi, en mieux[3].

2. En un sens, j'entame mon séjour à la mode du pays, comme le suggère un vieux dicton : "Débarquant sur une île, l'Espagnol commence par bâtir une église, le Français un fort, le Hollandais un entrepôt et l'Anglais une taverne."

3. Autre indice, et qui ne me trompe pas : filmer les Anglais au pub est aussi difficile et délicat que de les filmer chez eux un soir de Noël – question d'ambiance...

LION AND UNICORN

Le lion et la licorne, m'explique Bob, sont les deux animaux qui figurent dans le blason du royaume d'Angleterre – mais c'est surtout le titre d'un fabuleux bouquin de George Orwell (l'auteur de *1984*), un vibrant appel, lancé en pleine Deuxième Guerre mondiale, à une révolution socialiste radicale en Angleterre, assorti d'une formidable paire de claques : une à la classe possédante pour son égoïsme béat et son insondable bêtise, une autre à la classe ouvrière pour sa coupable naïveté et son conformisme.
Ce qui n'empêche pas le bouillant auteur d'écrire la même année dans une note autobiographique : "En dehors de mon travail d'écrivain, j'ai la passion du jardinage, et en particulier des jardins potagers. J'aime la cuisine et la bière anglaises, les vins rouges français, les vins blancs espagnols, le thé indien, le tabac fort, le chauffage au charbon, l'éclairage aux bougies et les fauteuils confortables. Je déteste les grandes villes, le bruit, les voitures, la radio, les nourritures en conserve, le chauffage central et le mobilier dit moderne." Et si Orwell ne mentionne pas le pub, c'est parce que le pub anglais, quintessence d'une conception du confort, est très exactement la somme de tous ces goûts et dégoûts très britanniques !

Car en même temps, à leur tenue, l'attitude et la façon de parler, je devine bien que les clients du *Lion and Unicorn* ne sont ni riches ni esthètes et que leur *home sweet home* doit hésiter entre le banal et le sordide, le plastique et le contreplaqué ; malgré quoi "leur" pub, par mille détails dans l'ameublement, réussit à recréer autour d'eux une ambiance rustique et cossue à la fois, une atmosphère feutrée qui respire le goût racé des vieilles choses, entre taverne élisabéthaine, estaminet de village et relais de poste aux confins des landes écossaises... Dehors, comme pour mettre ce décor en valeur, il s'est mis à bruiner, puis à pleuvoir franchement ; mais qu'importe : dedans, on se sent un gentleman-farmer à l'abri de son manoir.

Me voyant en lieu sûr, Bob est reparti sauver Dieu sait qui d'autre sous la pluie, en lançant à la cantonade avant de sortir : "*Love me, love my dog !*" ("Tu m'aimes, tu aimes mon chien", c'est-à-dire "les amis de mes amis sont mes amis".)

Je reste en tête à tête avec Alec, le *publican*, le patron du pub. Une vraie tête de Viking : avec sa longue moustache blonde et sa carrure de fort des halles, quand il actionne ses pompes d'un geste auguste, on s'attend à en voir jaillir l'hydromel pour étancher la soif des guerriers débarqués tout à l'heure d'un drakkar !

Ce qui emplit les verres n'est rien de tel pourtant, mais de l'*ale*, ici de la *lager*, là de la *bitter*, ailleurs encore de la *porter* ou de la *stout* – et à chaque bière il veut que je goûte, et à chacune, tandis qu'il me raconte avec passion comment elle se fabrique, je songe involontairement à la genèse du peuple anglais, à ces contingents de Nordiques jetés pêle-mêle sur leur île encore plus verte que blanche :

"D'abord il faut de l'eau, m'explique-t-il, la meilleure possible (voilà qui ne risque pas de manquer : dehors il pleut toujours "des chats et des chiens", comme disent les Anglais), et puis, pour la couleur, du malt (de l'orge germée – seraient-ce les Saxons ?). Dans une grande cuve étanche (comme cette Angleterre d'où ils n'ont cure de repartir), chauffer et refroidir tour à tour (étés, hivers), brasser longuement (petites guerres, grandes foires)... Filtrer le moût, puis le bouillir... Ajouter alors les fleurs de houblon (danoises ?) pour l'arôme, puis refroidir d'un coup... Ajouter la levure (normande ?) pour la fermentation, puis laisser reposer... Et tout au long du processus, encore et toujours de l'eau, beaucoup d'eau – de l'eau anglaise, la meilleure !"

Et dehors, il pleut encore...

C'est une leçon d'histoire qui en vaut une autre : de quelque façon qu'on la raconte, l'histoire de l'Angleterre, de la conquête normande au seuil du XVIIIe siècle, ressemble inévitablement à un match de cricket vu par un Continental... Des jeunes gens en tenue impeccable lancent furieusement des balles à un autre gandin qui les rate avec application, ou alors les frappe très fort avec un long battoir qui semble fait pour tout sauf ça, après quoi les uns se mettent à courir passionnément après la balle tandis que d'autres restent passionnément assis – puis soudain tout le monde se serre dignement la main, une voix au micro débite une longue litanie de chiffres (le score de la partie ?) et chacun s'en va prendre le thé et les rôties[4] autour des bouteilles thermos alignées sous les chênes centenaires ; alors, sans savoir qui a gagné ni comment ni pourquoi, on applaudit poliment, pour montrer à l'assistance qu'on a tout de même compris qu'il s'agissait de sport...

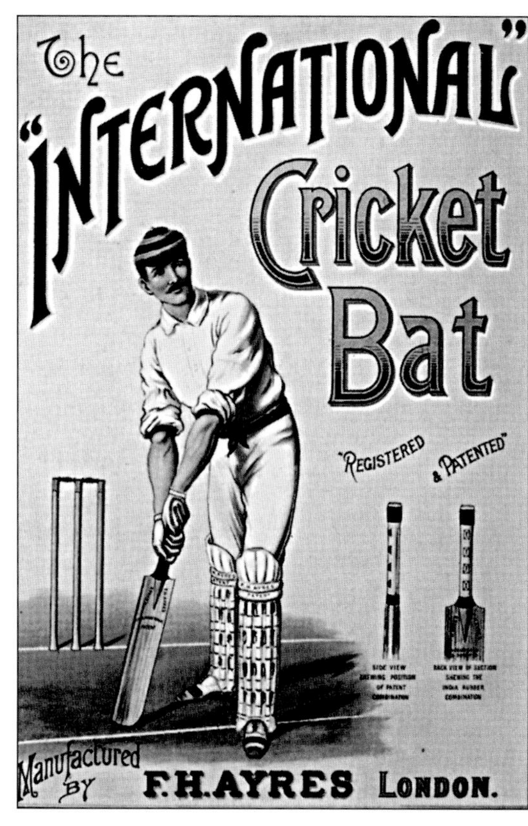

Même jeu compliqué, tout au long de ces siècles-là, entre "équipes" saxonne, danoise et normande – et quand cette dernière, nouvelle venue sur le "terrain", veut se donner des titres de noblesse, elle commande à l'un des siens d'exhumer le souvenir et la tombe d'un obscur roi breton nommé Arthur, déjà récupéré comme héros national par les descendants du roi saxon Alfred, et d'en tirer en vers français une geste à la gloire du peuple d'Angleterre : allez comprendre !

Deuxième mi-temps : et cette fois les voici tous dans l'équipe anglaise, tous unis autour de leur roi (qui n'est même plus un Normand, mais un comte d'Anjou), à échanger des balles vicieuses par-dessus la Manche avec les rois de France[5] : Bouvines, Crécy, Azincourt, une pucelle brûle à Orléans, les scores défilent et soudain tout s'arrête : match nul ! Et quand un noble anglo-saxon, défiant le joug des barons anglo-normands, prend le maquis en forêt de Sherwood (sous un nom, Robin Hood, notre Robin des Bois, qui est celui d'une vieille divinité préchrétienne !), c'est au nom de son cher roi angevin Richard Cœur de Lion, que les Français retiennent en otage pour plaire à son frère Jean sans Terre, tout en faisant la guerre à celui-ci : allez comprendre !

4. Les toasts beurrés, dits "à l'anglaise" – sauf en Angleterre, où on les nomme "lapins gallois" !

5. La Guerre de cent Ans dura en fait près d'un siècle et demi (1337-1475), voire bien plus du double, depuis les hostilités épisodiques des années 1200 jusqu'à la perte de Calais en 1558 (officiellement entérinée en 1802 seulement) !

Troisième mi-temps (il y a beaucoup de mi-temps dans cette partie !) : toujours l'équipe anglaise[6] (elle porte un drôle de nom pour l'époque : *Parliament*[7]), mais cette fois les voici tous unis contre leur roi (qui, si ça se trouve, est tour à tour un Breton ou un Picte – Tudor "gallois" ou Stuart "écossais", comme on dit désormais), et de le ligoter de Grande Charte et de Pétition des droits, de lui extorquer avant et après chaque bataille toutes les concessions qu'on voudra[8], de le chasser pour en rappeler un autre... Et quand le pauvre s'insurge et rappelle que, nom d'un Anglais, il est tout de même le roi, on l'enferme dans sa propre bastille de la tour de Londres puis le décapite au nom de la haute idée qu'on se fait de la monarchie : allez comprendre !

Quatrième mi-temps (il est vrai que le match dure des siècles) : on joue à deux, trois, cinq, douze "équipes", certaines avec un roi (ou une reine), d'autres un Parlement, parfois les deux ensemble ; rose rouge ou blanche, calot vert ou manteau noir, les maillots ont gagné en couleur, tout comme les hymnes des "supporters[9]" : catholiques, réformés anglicans, baptistes luthériens, puritains ou presbytériens calvinistes, unitariens, méthodistes, quakers, non conformistes[10]... Et quand les Irlandais et les Ecossais cherchent à quitter le terrain[11], on en saigne quelques milliers pour leur faire comprendre que *that's not cricket*, que ce n'est pas *fair play* !

La mêlée devient d'autant plus confuse que, sous couvert de "cricket", on joue en fait

6. Même si, de nos jours encore, on ne sait trop comment en appeler les "joueurs" : faut-il dire Britons *? Ce "Bretons" est un pur archaïsme !* Britishers *? C'est un mot d'Américains !* Britishmen *? Le mot ne plaît à personne – peut-être parce qu'il faudrait l'étendre aux Irlandais républicains, avec qui la Grande-Bretagne est bien obligée de partager l'appellation d'îles "Britanniques" !* English, *alors ? Ah ça non ! protestent Gallois, Ecossais et autres Irlandais qui, pour être citoyens du Royaume-Uni de Grande-Bretagne et d'Irlande du Nord, n'en rougiraient pas moins de colère de s'entendre assimiler à des Anglais ! Qui sait si ce n'est la raison pour laquelle la Grande-Bretagne est restée royaume : afin qu'au moins, levant les yeux vers les trois drapeaux en un de l'Union Jack, ils puissent tous se dire sans rougir "sujets de Sa Gracieuse Majesté" – et d'elle seule !*

7. Le Parlement affirme son pouvoir dès 1258 et, sept ans plus tard, convie les premiers délégués des bourgs, ancêtre de la Chambre des communes.

8. Ce qui redresse alors la tête, n'est-ce pas simplement, secouant le "joug normand", la vieille tradition "démocratique" saxonne, avec ses rois élus, son Conseil des sages (le witenagemot) et l'autonomie fiscale et judiciaire de ses shires et boroughs ? Une certaine Angleterre vieille-saxonne ne finira jamais de rappeler dédaigneusement à ses rois la mésaventure du grand Knut, le jour où il lui prit la fantaisie de faire installer son trône sur le rivage à marée montante, défendant solennellement aux vagues d'approcher sa royale personne : mais la leçon de majesté se termina en bain de siège, préfigurant le sort du pouvoir absolu en Angleterre – celui d'un château de sable sur la plage de Ramsgate !

9. Et déjà, cinq siècles avant les hooligans, c'est la bataille rangée à chaque grand match !

10. Comme le remarquera un ambassadeur de Napoléon, "la France a trois religions et trois cent soixante sauces, et l'Angleterre trois sauces et trois cent soixante religions."

11. Si le pays de Galles est définitivement arrimé à l'Angleterre depuis 1282, l'Ecosse, trois fois conquise et trois fois libérée, n'entre pour de bon dans le Royaume-Uni qu'en 1707 – tandis que l'Irlande, déchirée par huit siècles d'oppression, le quitte par lambeaux au fil du XXe siècle.

à toutes sortes d'autres jeux ! Au rugby avec une couronne pour ballon, aux chaises musicales autour d'un trône, aux sept familles royales... Aux charades et aux mots croisés – et de la fusion du vieil anglais des paysans saxons (qui est un patois bas-allemand), du moyen-anglais de l'élite normande (qui est du français comme des Scandinaves le parlent à d'autres Nordiques) et du latin des clercs, il naît une langue plus bizarre encore, mais dont Shakespeare s'empare pour immortaliser des princes danois (Hamlet), écossais (Macbeth), gallois (Lear), romains (Jules César), celtiques (Cymbeline) ou franchement imaginaires (Obéron) ! Accessoirement, on joue aussi au premier-qui-rira (l'humour anglais[12]), aux devinettes truquées (le système de poids et mesures britanniques[13]) et à plein d'autres jeux très insulaires...

On joue beaucoup à la courte paille également – celle du paysan "de base", dont la maigre récolte (les années où son lopin ne sert pas de terrain de "cricket", c'est-à-dire de champ de bataille) suffit à peine à régler la dîme de Rome, la taxe royale et l'impôt féodal, finançant la solde des vainqueurs et le tribut des vaincus, le *Honni soit qui mal y pense*[14] du nouveau roi, le *Ich dien*[15] de son fils et le *Te Deum* des prélats : faste officiel, misère privée – toujours la même chanson, en quelque langue qu'on la chante !

Mais que cette valetaille s'insurge – qu'un William Langland[16], moraliste de province mais aussi démocrate visionnaire, se prenne à rêver d'un monde où l'honnête et doux laboureur ne serait plus la perpétuelle victime du soldat brutal et du marchand perfide – qu'un John Wyclif, théologien du roi mais aussi penseur protestant avant la lettre, aille traîner dans la boue le luxe et l'arrogance des pontifes – qu'un John Ball, prêtre excommunié et anarchiste prophétique, pose cette question :

> *"Quand Adam bêchait et qu'Eve filait,*
> *Qui, alors, était gentilhomme ?"*

12. Dans n'importe quel autre coin du monde, si l'on vous trouve infréquentable, on vous exclura sous prétexte que vous n'avez pas le teint assez clair ou pas assez de zéros à votre compte en banque, que votre accent fait trop "province", vos lectures trop "intello" ou vos manières pas assez "mec", que vous mangez comme un cochon, vous habillez comme l'as de pique ou bien jurez comme un païen... Ici, on se contente de déplorer que vous n'ayez absolutely no sense of humour *– et c'est tout aussi irrémédiable !*

13. Exemple : sachant qu'un mile en mer vaut 38 / 33e d'un mile sur terre, à combien de mètres du Pavillon de Sèvres l'eau commence-t-elle à geler à 32°, a-t-on douze "pouces" à chaque "pied" (pas étonnant qu'il faille trois pieds pour faire un pas !) et met-on quatorze "livres" dans une "pierre" (mais seulement huit chez le boucher et seize chez la crémière) ? Deux couronnes (c'est-à-dire un demi-souverain) à qui trouvera la réponse !

14. La devise officieuse de la monarchie, lancée par Edouard III un soir de 1348 pour faire taire les railleurs après avoir ramassé la jarretière que la comtesse de Salisbury venait de perdre en dansant avec lui. Il avait ainsi trouvé en même temps la devise et l'appellation du nouvel ordre de chevalerie qu'il s'apprêtait à fonder sur le modèle de la Table ronde du vieil Arthur : ce fut l'ordre de la Jarretière, la confrérie la plus exclusive au monde, limitée à une douzaine de membres !

15. "Je sers" : la devise allemande des princes de Galles depuis le Prince Noir, fils d'Edouard III, celle du roi aveugle de Bohême qu'il avait trucidé à Crécy... Allez comprendre !

16. L'auteur de l'amère satire sociale de Pierre le Laboureur, *dont on se demande encore, six cents ans après, comment elle a pu être écrite dans les mêmes années que les joyeux* Contes de Canterbury *du bourgeois Geoffrey Chaucer, portrait réjouissant d'une nation anglaise tonique en diable !*

– qu'un Wat Tyler, quatre siècles avant la prise de la Bastille, emmène une foule d'exploités dévaster Londres, ses palais et sa Tour, alors soudain c'est un autre jeu encore : un jeu de dupes et un jeu de massacre...

Mais on joue plus encore (et pas seulement pendant les arrêts de jeu) au Monopoly, et cette même Angleterre qui vient de passer sept siècles à se faire envahir ou à envahir les autres tout en collectionnant grandes pestes, famines à répétition, jacqueries sanglantes, guerres dynastiques, civiles ou de religion, se retrouve, vers l'an 1750, le pays le plus riche et le plus avancé d'Europe, avec pour capitale la première mégalopole de l'Occident, doublée de la première place financière mondiale !

Pourtant, la prospérité anglaise repose, en dernière analyse, non pas sur un marchand de la City adepte de la livre sterling, mais sur un mystique français tout dévoué à la Vierge Marie : saint Bernard de Clairvaux, qui, répudiant le faste et la puissance féodale des abbés bénédictins, fit fonder par les moines anglais adeptes de son ordre cistercien de nouvelles abbayes en des régions reculées – les landes du Yorkshire, le pays de Galles ou les Cotswolds – plus propices à la vie spirituelle que les grasses campagnes du Sud-Est anglais où les Saxons élevaient leurs bœufs et leurs cochons et les Normands leurs palefrois. Prier, toutefois, étant un investissement à très long terme, et comme il fallait bien nourrir au jour le jour les moines et les pauvres, les cisterciens se lancèrent dans l'élevage du mouton, où ils réussirent tant et si bien que, cent ans plus tard, la laine anglaise était devenue l'objet d'un commerce florissant, éclipsant presque celui des objets de métal, vieille spécialité des orfèvres scandinaves.

C'est ici seulement qu'intervient le marchand londonien, qui organise dans un premier temps un juteux trafic avec les villes drapières de Flandre, lesquelles lui échangent sa matière première contre du vin de Bordeaux, le claret si apprécié par l'élite anglo-normande. Le commerçant (qui, vu son métier, est donc fort probablement un Danois, ou alors un Allemand ou un Hollandais immigré), n'ayant aucune raison d'investir ses premiers bénéfices dans des "maisons" de Monopoly (c'est-à-dire de se tailler un domaine foncier en pleine campagne saxonne), et encore moins des "hôtels" (la caste normande verrouillant toute la hiérarchie sociale), en vient logiquement à s'offrir des "gares" (soit ses propres bateaux, réduisant d'autant ses frais d'import-export) et à réinjecter ses nouveaux gains d'armateur dans son négoce : après la teinture de la laine (qui lui en vaut un meilleur prix), il se lance dans la filature (confiée à des ouvriers flamands qu'on installe à Londres), dans le tissage et dans la confection enfin : il n'y a pas plus loin du pont de Londres (bâti, affirme un dicton, sur des ballots de laine[17]) à Bond Street, la Mecque du grand chic vestimentaire !

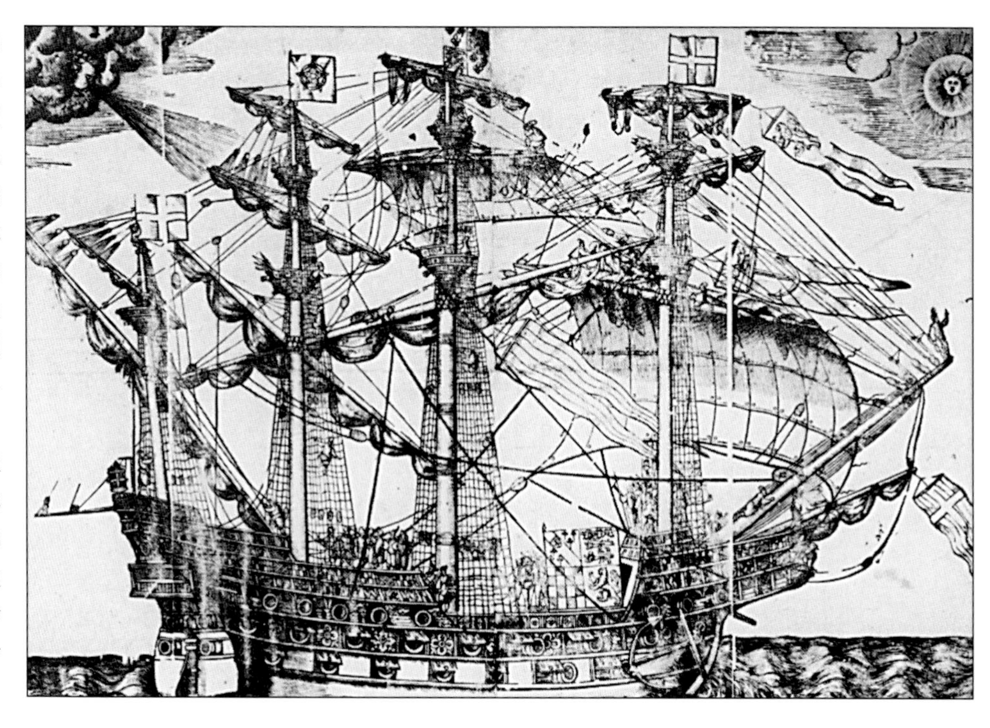

Et pourtant, à l'arrière-plan entre deux tintements de tiroir-caisse, on entend ces hurlements de détresse des campagnes, ces canonnades et ces bruits de bottes qui n'en finissent pas de retentir, et on se dit qu'il y a erreur, on cherche la contradiction... Il n'y en a pas !

La misère des paysans ?

Elle est réelle, et le cœur du brave marchand saigne quand il songe au pauvre laboureur plus mort que vif qui gratte péniblement son minuscule lopin pour assurer à sa marmaille une survie pathétique : *shocking, my dear !* – Mais le marchand n'ignore pas que les ouvriers dociles de ses ateliers sont ces mêmes paysans qui fuient l'horreur des campagnes, chassés tour à tour par la disette, la peste ou par les *enclosures* des seigneurs normands, qui clôturent en bocage les anciens terrains communaux pour y faire paître toujours plus de moutons dont la bonne laine fera prospérer le commerce du même marchand !

L'insécurité politique ?

Réelle aussi, et le bon sens du brave marchand se révolte quand il pense à l'immense gâchis qu'occasionnent de siècle en siècle ces ardeurs belliqueuses, la manie conquérante des rois et l'ambition sans frein des barons normands : *what a waste of good money* ! – Mais le marchand n'ignore pas qu'à chaque guerre intestine, c'est lui qui gagne en monnayant son appui à l'un ou l'autre camp (voire les

17. C'est aussi l'idée du woolsack, *le "ballot de laine" sur lequel trône le* lord chancellor *de la Chambre des lords : que l'assemblée des nobles du royaume décide ce qu'elle veut, les cordons de la bourse sont entre les mains des marchands des* Commons *!*

deux) contre promesse de privilèges et autres exemptions, et qu'après chaque invasion de la France, c'est à lui que reviendront bateaux et marins aguerris pour exporter, via Calais, toujours plus de laine vers les régions conquises puis reperdues, mais toujours soigneusement ravagées.

Il y a tout de même des repos entre deux mi-temps, ces périodes de grâce où tous ressortent, pour ainsi dire, leurs bouteilles thermos sous les chênes centenaires. Alors, brusquement, il n'est plus de Saxons, de Danois ni de Normands et, toutes les pièces du puzzle[18] qu'on croyait insoluble se mettant en place comme par enchantement, on voit se dessiner – plaisant comme un paysage de Gainsborough et lumineux comme un panorama de Turner – le motif d'ensemble, le destin de la nation, la formule magique qui fera de ces trois peuples une formidable entreprise à l'échelle d'un pays[19].

N'était le passage laborieux de la Réforme – la foi catholique des vieilles campagnes saxonnes et de l'establishment normand cédant peu à peu le pas au protestantisme de la bourgeoisie marchande en plein essor, bientôt appuyée par une monarchie jalouse depuis longtemps d'un clergé trop riche et puissant ("Si l'abbé de Glastonbury pouvait épouser l'abbesse de Shaftesbury, disait-on alors, ils auraient plus de terres que le roi d'Angleterre !" Mais c'est depuis les premiers temps des Normands (l'assassinat de Thomas Beckett, prélat trop intransigeant, remonte à 1170) que la Couronne lutte pied à pied pour mettre au pas cette Eglise qui échappe à toute juridiction civile tout en contrôlant le tiers du territoire national et en prélevant une fortune triple du budget royal !)–, l'Angleterre aurait presque pu connaître un XVe siècle tranquille. Mais la transition était par trop complexe : on la négociera, cent cinquante ans durant – tantôt en douceur, tantôt dans un bain de sang –, sur le modèle de la procession d'Echternach (deux pas en avant, un pas en arrière), et la société civile devra se contenter de deux splendides demi-siècles.

L'un est celui des grands Tudors, Henri VII et Henri VIII, lequel Barbe-Bleue ventripotent, se montre avant tout fin politique et économiste sans scrupule : quand il nationalise l'Eglise catholique d'Angleterre, c'est moins pour obtenir le divorce qu'un pape pro-espagnol lui refuse, que pour soustraire enfin son royaume à la mégalomanie du Saint-Siège, réinjecter la cassette des évêques dans une économie en plein boom et financer la participation anglaise à la prise de possession des Amériques !

18. Le jigsaw puzzle *("énigme chantournée à la scie"), ce jeu typiquement londonien (la première version servait, au XVIIIe siècle, à inculquer la géographie de Londres aux enfants) – et si terriblement anglais par une infinité d'aspects !*

19. L'établissement du marchand-industriel-capitaliste avant la lettre en fournira l'organigramme "pluriculturel" : des ouvriers saxons refoulés des campagnes surpeuplées, encadrés par des contremaîtres recrutés parmi les artisans urbains et administrés par des fils cadets de la gentry normande, jeunes gens sans fortune (le système d'héritage réserve titres et terres au seul fils aîné) mais éduqués, bien introduits et ambitieux.

L'autre, après le pénible intermède de sa fille Marie Tudor, dite "la Sanglante", sera celui d'Elisabeth, sa sœur, qu'on imagine fort occupée à se costumer pour un fastueux bal masqué en son palais de Hampton Court tout en complotant la mort de sa cousine catholique, écossaise et pro-française Marie Stuart – alors qu'en fait, cachottière jusqu'au bout, elle trinque en secret avec un Francis Drake, hardi corsaire et plaie des galions espagnols qui rapatrient l'or du Mexique, un Martin Frobisher, l'explorateur de l'Atlantique nord, un John Hawkins, autre beau flibustier et inventeur de la traite des Noirs[20], un Walter Raleigh, le pionnier de la colonie britannique de Virginie, ou un Thomas Gresham, le fondateur du Royal Exchange[21], le "club de rencontres" des Merchant Adventurers[22], ces génies de la haute finance qui brassent sans distinction franc commerce (de la laine ou des épices) et trafics honteux (dont ceux de l'opium et des esclaves), rigueur comptable et acrobatie boursière, dévouement patriotique et basse piraterie, au cri de *Right or wrong, my country !* (A raison ou à tort, mon pays d'abord !)

Et la "patrie", c'est-à-dire la Couronne, le leur rend bien ! De Henri VII, qui promulgue les premiers Actes de navigation excluant les bateaux étrangers du commerce international de l'Angleterre, à Elisabeth qui octroie charte sur charte aux grandes compagnies de navigation londoniennes (la dernière, mais bientôt la plus formidable, étant l'East India Company), on pourrait croire qu'il ne s'agit que qu'une alliance stratégique pour finir de mater la vieille noblesse, décimée, ruinée et discréditée dans les guerres dynastiques, ou alors la prise en compte du poids des marchands, des fabricants et des armateurs au Parlement qui réclament qu'on leur donne des gages.

20. La plus "belle" martingale dans l'histoire du négoce mondial, où les captifs africains iront récolter, aux Amériques, le coton qui, une fois filé et tissé par des esclaves prolétaires dans les ateliers anglais, servira de monnaie d'échange pour se procurer encore plus de bétail humain auprès des négriers : ce commerce "triangulaire", devenu un monopole britannique, durera jusqu'au XIXe siècle !

21. Toujours actif aujourd'hui, il sera aussi le berceau du club d'assureurs de la Lloyd's comme du Stock Exchange, la bourse de Londres.

22. Les Merchant Adventurers n'étaient en fait que des "actionnaires marchands", mais si entreprenants que le mot "aventurier" prit vite le sens que nous lui connaissons !

C'est juger les Anglais plus réalistes et moins clairvoyants qu'ils ne sont ! Ce qui noue l'union sacrée entre le roi et ses boutiquiers n'est rien d'aussi circonstanciel, mais à la fois un fantasme inouï et un pari visionnaire : du Palais aux docks de Londres, c'est le grand rêve partagé que l'avenir de l'Angleterre, désormais, ne se joue plus à l'échelle de la vieille Europe enserrée par ses régimes dépassés, mais à celle des nouveaux mondes qui se profilent des Amériques aux Indes et au-delà.

Délogée de Calais, sa dernière place continentale, cette Angleterre qui, quatre fois envahie en l'espace d'un millénaire et chroniquement empêtrée en France pour le plus clair du demi-millénaire suivant, n'était qu'à peine une excroissance de l'Europe, choisit enfin de devenir ce qu'elle était déjà pour les géographes : une île, une terre rien qu'à soi – et de faire de la mer non plus sa douteuse bouée de sauvetage (le vieux dicton avait tout faux, qui prophétisait que "Quand les noires flottes de Norvège seront reparties, bâtis-toi, Angleterre, des maisons de chaux et de pierre, car plus jamais tu ne verras la guerre !"), mais bien la clef de son "splendide isolement" (et c'est Shakespeare louant "cette race heureuse entre les

UNE ÎLE, UNE TERRE RIEN QU'À SOI

Parmi ceux qui persisteront, pour leur propre malheur, à la prendre pour un pays comme les autres : Philippe II d'Espagne, à qui son erreur coûtera une "Invincible" Armada ; Napoléon, dont le blocus "continental" sera surtout un blocus du Continent tout entier par la seule Angleterre ; le Kaiser Guillaume II, qui croyait isoler les Anglais en torpillant le *Lusitania* et vit arriver tout le Commonwealth à la rescousse ; et Hitler, qui sema le Blitz sur Londres et récolta la tempête à Berlin ! – "Mais tout ça, c'est du passé maintenant !" commente Alec, la mine soudain aussi sombre que si ses habituées se mettaient à commander du muscadet plutôt que des pintes de bière : "La prochaine fois que Boney (Bonaparte, devenu pour les Anglais un croquemitaine dont on menace les enfants qui tardent à s'endormir) ou le Kaiser voudront envahir l'Angleterre, ils viendront tranquillement par le Chunnel, le tunnel sous la Manche !" Murmures d'approbation parmi les clients du bar. "Quand on a un bon bateau, on ne se met pas à faire des trous dans la coque !" renchérit quelqu'un, tandis qu'un autre suggère de le reboucher, ni vu ni connu, en y fourrant les carcasses des vaches folles...

hommes, ce petit univers, ce joyau serti dans une mer d'argent, son rempart !") en même temps que la grand-route de son empire mondial, et on entend déjà Lord Byron qui clame, les cheveux flottant photogéniquement au vent du large :

"Toi, glorieux miroir où la forme du Tout-Puissant
Se contemple,
Image de l'éternité, trône de l'Invisible !"

Or, c'est bien connu, *God is an Englishman* (Dieu est un Anglais), et donc cette "toute-puissance" qui se contemple avec ravissement dans le "glorieux miroir" des ondes ne peut être, vue depuis Londres, que celle de la Grande-Bretagne elle-même – et le reflet, ma foi, ne tarde pas à être fort ressemblant. Tout, en ces années-là, réussit à l'Angleterre : les défauts des autres (maharajahs ou caciques naïfs, dont aucun n'égalera pourtant la jobardise d'un Louis XV quand il brade ses "arpents de neige" au traité de Paris[23]) comme ses qualités propres (la formule "trois peuples, une nation" fait merveille aux colonies : les laboureurs expatriés triment avec entrain, les hommes de métier organisent avec science, les gentlemen délégués administrent avec scrupule), et jusqu'au hasard qui met les plus beaux archipels du Pacifique sur la route de James Cook ! De colonies de peuplement (les futurs Etats-Unis) en comptoirs aux Indes, de factoreries canadiennes en colonies pénitentiaires (l'Australie), de marchés d'esclaves (au Bénin) en plantations de canne à sucre (aux Antilles) et en escales de ravitaillement pour relier toute cette toile d'araignée (des Bermudes au Cap, aux Seychelles, aux Fidji et Dieu sait où encore[24]), ce pays minuscule (deux millièmes de la surface des terres émergées et trois centièmes de leur population) finira par assujettir le cinquième de la surface du globe (sans compter les océans, sa chasse gardée, où un navire sur deux vogue sous son pavillon) et le quart de l'humanité[25] !

23. Maigre consolation : le "coup de pied de l'âne " qui vaudra à l'Angleterre de perdre, vingt ans plus tard, les Etats-Unis, la première "perle" de son domaine colonial. Double ironie du sort : la Constitution du nouvel Etat sera la copie de la déclaration proclamée, cent cinquante ans plus tôt en débarquant en Nouvelle-Angleterre, par les pèlerins du Mayflower *– ces puritains anglais fuyant les persécutions de la mère patrie.*

24. Noter au passage la justesse très sociologique de certains choix : le dynamisme humain du melting-pot américain comme le système hindou des castes et l'apartheid sud-africain ne sont pas sans rappeler l'un ou l'autre trait du monde britannique lui-même !

25. Juste retour des choses, en somme, si le même quart massacre aujourd'hui sous forme de pidgins diversement métissés le même king's English *qu'on leur a inculqué à coups de trique, en commençant par le chapitre des insultes racistes !*

"Un dernier pour la route ?" me lance Alec sur le coup de treize heures – mais je n'entends plus... Dehors, la pluie a cessé et mon regard, ravivé par la chaude lumière qui filtre à travers les petits carreaux bruns et verts des fenêtres, erre parmi les habitués du *Lion and Unicorn*, repérant au passage des types humains – "Normands" à la longue figure barrée d'une fine moustache blonde, trognes rougeaudes de "Saxons", fières têtes de "Celtes" ou de "Vikings", museaux pointus de "Méditerranéens" noirauds ou de "néolithiques", et tous les métissages imaginables –, tous attablés au coude à coude ou agglutinés en petits groupes le long du bar ; tout cela fort sympathique mais à mille lieues de m'expliquer le destin prodigieux que s'est bâti ce paisible échantillon d'humanité ! Mais quelle mouche les a donc piqués pour qu'ils renoncent au confort domestique de leur *home, sweet home*, de leurs pubs et de leurs clubs et s'en aillent conquérir la planète en beuglant un Rule Britannia triomphant ?! Une phrase cinglante de Doris Lessing me traverse l'esprit : "L'Angleterre est le pays idéal pour y vivre, car c'est un pays calme, qui n'a rien de stimulant et qui vous fiche la paix" – chassée aussitôt par ce mot de Kipling : "Notre Angleterre est un jardin, mais on ne fait pas de tels jardins en chantant : «Oh ! que c'est beau !» puis en allant s'asseoir à l'ombre !" Et sur un point au moins, il a raison : ce n'est pas en restant ici que je comprendrai !

*
* *

Les pluies de la matinée ont fait place à un après-midi radieux lorsque je réussis enfin à décoller du bar, troquant le demi-jour glauque du *Lion and Unicorn* pour le franc soleil qui baigne les rues de la City.

> *"La beauté du matin revêt de son manteau*
> *La noble cité : en silence, les bateaux,*
> *Les tours, les coupoles, les théâtres, les temples*
> *Se dressent à nu sous le ciel qui les contemple."*
> WILLIAM WORDSWORTH, *Upon Westminster Bridge.*

Je marche au hasard, découvrant d'abord, comme n'importe quel touriste dans n'importe quelle capitale, le centre avec ses nobles façades à colonnades, ses rituels chargés d'histoire et son faste un peu austère – sauf qu'à Londres précisément, à l'inverse de toutes les autres capitales, la ville "officielle" (celle du monarque en son palais, des ministères et du Parlement, des monuments commémoratifs et des défilés en grand uniforme, des cathédrales et des musées) a prudemment consenti à se cantonner dans le lointain faubourg qu'était jadis Westminster. Aujourd'hui encore, l'usage veut que le souverain demande très officiellement au lord maire la permission de pénétrer dans la City, ce micro-Etat formellement autonome (moyennant une redevance annuelle de six fers à cheval, soixante et un clous et deux couperets, dont l'un émoussé) et régi par son propre gouvernement, la corporation des *aldermen*, les élus des guildes – en troublant contraste avec le Greater London Council, responsable de l'agglomération londonienne et, par un nouveau paradoxe du système politique britannique, bastion inexpugnable de l'extrême gauche trotskiste jusqu'à sa dissolution pure et simple par Margaret Thatcher !

C'est que Londres se révèle facilement intraitable avec ses souverains, dont quelques-uns en ont très littéralement perdu la tête : toutes les révolutions civiles, religieuses et intellectuelles qu'a connues l'Angleterre ont commencé dans la City. Ainsi le centre de Londres n'est en somme qu'un quartier d'affaires (mais le premier et sans doute encore le plus puissant du monde). Ici règne sans partage la société civile[26], et guildes, grandes compagnies, banques, sociétés d'assurances et maisons de change, de commerce ou de spéculation y manifestent à l'envi leur inébranlable conviction qu'elles sont la première institution du royaume, aux privilèges non moins anciens (et certainement plus intangibles), non moins prestigieux (et certainement plus "respectables") que ceux de la Couronne elle-même : tout y est tradition séculaire, jusqu'à ces courtiers en manches de chemise qui croquent leur sandwich sur les marches du Royal Exchange sous l'œil flegmatique d'un huissier en livrée Renaissance !

Le 'Change, Guildhall (la Maison des Corporations), Mansion House (la résidence officielle du lord maire), le Stock Exchange (la bourse), la Bank of England : de fronton en portique, je déchiffre les devises inscrites en lettres d'or, les "mots de passe" de la nation anglaise. *For King and country* (Pour le roi et la patrie), (Dieu et mon droit), *Right or wrong, my country* (A raison ou à tort, mon pays d'abord !) : trois cris de ralliement qui en disent long, à leur façon, sur ce qui fait la colonne vertébrale d'un système et en même temps sur ses grands tabous... La reine, oui – non tant par royalisme, mais surtout comme symbole du pays, de

26. La géographie de Londres traduit cette vieille méfiance entre les officiels et les affairistes, prudemment séparés par les quartiers-tampons de Mayfair (où les drapiers habillent les princes) et du Strand (le bastion exclusif des magistrats, des avocats et des écoles de droit). Les quatre pouvoirs (le politique, la finance, le commerce et la loi) ne se retrouvant d'accord que pour lire le journal du matin (à Fleet Street) et aller au théâtre le soir (à Soho) mais tenir le reste de la culture à distance prudente (à Bloomsbury, autour du British Museum, de la British Library et de l'Université), et pour repousser le bas peuple le plus loin possible de leur quadruple microcosme, dans l'East End.

ses institutions et de la loi en général. Dieu, oui – non tant par piété, mais plutôt comme le garant de l'honneur et de la morale publique et privée. Et par-dessus tout le pays – non pourtant par chauvinisme primaire, mais comme le fruit d'une histoire qui est l'œuvre de tous, une espèce de Stonehenge rebâti à chaque génération, où chacun reconnaîtrait un peu de l'âme pétrifiée de ses pères (et bientôt de la sienne) dans chaque pilier de l'establishment[27].

D'où cette curieuse physionomie de Londres qui, en sa vieille âme démocrate et laïque, ne clame jamais *God save the Queen !* sans espérer *in petto* qu'elle et son armée resteront à Buckingham, et lui à Westminster avec ses prélats : le "Ni Dieu, ni maître" des libertaires s'accorderait mieux, au fond, au caractère farouchement anarcho-individualiste des Londoniens[28] !

*
* *

Je me récite de mémoire, tout en marchant, ce chef-d'œuvre de flagornerie commis vers l'an 1500 par William Dunbar, très modeste poète au demeurant :

> *"O Londres, tu es des villes le parangon...*
> *Pour tes seigneurs, tes barons, tes preux chevaliers,*
> *Pour tes gentes dames à la robuste splendeur,*
> *Pour tes prélats fameux en leurs habits d'église,*
> *Pour tes marchands puissants à la bourse substantielle,*
> *Londres, tu es la fleur de toutes les cités !"*

Pauvre Dunbar, bien incapable d'imaginer que ses yeux éblouis contemplaient en fait les derniers soubresauts d'un monde finissant, que la Réforme aurait bientôt raison de la pompe du clergé catholique et que l'essor des Communes s'apprêtait à liquider le charme martial de cette belle noblesse et la "robuste splendeur" de ses dames ! Mais n'accablons pas la bassesse du poète, et laissons-lui le mérite d'avoir tourné à bon escient l'une au moins de ses plates courbettes : car s'il flatte en vain la prélature et l'aristocratie, c'est bien grâce à la "bourse substantielle" de ses marchands que Londres va devenir, et pour longtemps, la plus importante, la plus opulente, la plus étonnante... bref, "la fleur de toutes les cités" !

27. La City ne comporte qu'un seul monument officiel, simplement nommé The Monument ; mais sa colonne surmontée d'une flamme de bronze doré ne célèbre ni couronnement, ni victoire militaire, ni libération, ni même une révolution démocratique – mais seulement Londres elle-même, telle qu'elle resurgit, plus fière et ambitieuse que jamais, après le double cataclysme de la Grande Peste de 1665 et du Grand Incendie de 1666.

28. Outre la démocratie parlementaire, il faut bien leur reconnaître aussi l'invention – et la maîtrise incontestée, jusqu'à nos jours encore – de la presse moderne (celle qui, sans souci de propagande officielle ni d'édification morale, se donne comme première mission d'informer son lecteur) et du roman (celui qui, ni épopée héroïque, ni conte moral, se choisit pour héros un homme et pour sujet la trame singulière de son destin).

Le paradoxe, toutefois, veut qu'à l'heure même où la City des négociants tourne un regard plein d'appétit sur l'horizon marin, guettant la prochaine cargaison d'épices, de café, de thé, de cacao, de tabac, d'indigo, de soie, de coton, de fourrures, de porcelaine ou de joyaux récoltés aux quatre coins du monde, elle ignore encore que c'est dans son dos qu'une fois de plus sa fortune se prépare, dans ces mêmes campagnes qui lui ont déjà fait cadeau de sa première fortune lainière.

Car entre-temps, à force de côtoyer leur personnel saxon, les bourgeois des villes ont fini par subir à leur tour l'attrait si typiquement anglais pour les paysages rustiques et s'offrir, sous le regard bienveillant de la grande Elisabeth (et malgré les foudres de la vieille noblesse normande), quelques acres de campagne : madame y aura ses rosiers et les enfants de belles couleurs ; quant à monsieur, il pourra toujours s'amuser, lorsque ses affaires en ville le libèrent, à mettre son nouveau domaine en valeur... Toujours la passion du Monopoly ! Et de fait, voici qu'il s'y met, et même qu'il y prend goût – mais non pas à l'ancienne mode des laboureurs saxons et de leurs seigneurs féodaux : monsieur se documente, se pique d'agronomie, expérimente, rationalise, prend le temps d'investir... et réussit, audelà de toute attente ! Nouvelles méthodes d'assolement, nouvelles cultures, un rien d'engrais et beaucoup de machines agricoles : en quelques années, les nouveaux “paysans” doublent, puis triplent les rendements, au grand dam des anciens propriétaires qui guettaient, sardoniques, l'inévitable échec de ces citadins parvenus, et qui se retrouvent bientôt à chercher à les imiter sur ce qui leur reste du domaine ancestral, licenciant à tour de bras leurs ouvriers agricoles pour les remplacer par de belles machines “modernes” !

C'est, avec un siècle d'avance sur le reste de l'Europe, la grande révolution verte du XVIIIe siècle anglais – et, par ricochet, le coup d'envoi de la révolution industrielle elle-même.

En demandant toujours plus de machines tandis qu'elle dégage de plantureux bénéfices à réinvestir et “libère” toujours plus de bras devenus inutiles, la campagne va une nouvelle fois faire la fortune de la ville – non sans l'aide d'une pléiade d'ingénieurs mécaniciens de génie[29], qui mettent au point coup sur coup, ces années-là, la métallurgie moderne (Abraham Darby) et la machine à vapeur (James Watt), la machine à filer (James Hargreaves) et le métier à tisser mécanique

29. Nouvelle aubaine : l'Ecosse, patrie d'une bonne moitié d'entre eux, vient enfin de se laisser épouser par son entreprenant voisin du Sud, après six siècles de fiançailles et de ruptures.

(Edmund Cartwright) : c'est le concours Lépine à l'échelle d'un pays entier ! Et comme le capital court les rues, que la main-d'œuvre disponible s'accumule dans les faubourgs et sur les quais et que partout s'agite un essaim d'entrepreneurs ambitieux – presbytériens, quakers ou méthodistes exclus par les anglicans des services publics, mais aussi huguenots français, protestants flamands et juifs de toutes origines, tous complètement déculpabilisés par rapport au profit matériel –, l'effet d'entraînement est massif et immédiat.

C'est le signal d'un formidable bouleversement pour la moitié nord-ouest du pays, jusque-là parente pauvre du prospère "jardin potager" de l'Angleterre du Sud-Ouest : voici que soudain, de Glasgow et Newcastle dans le Nord jusqu'au sud du pays de Galles, mais surtout dans le nouveau "croissant fertile" des Midlands (de Liverpool à Birmingham en passant par Manchester, Leeds et Sheffield) – bref, partout ou un sol qu'on croyait ingrat s'avère truffé de charbon ou de minerais –, les landes à moutons et les vieilles vallées maraîchères voient pousser une forêt toujours plus dense de cheminées d'usines.

Entre un ciel et un sol qui adoptent rapidement la même couleur de suie, cokeries et hauts fourneaux, ateliers mécaniques et chantiers navals, filatures de laine, de lin ou de coton et manufactures géantes, reliées d'abord par un immense écheveau de canaux puis bientôt par le chemin de fer de George Stephenson et les routes asphaltées de John McAdam, remodèlent en profondeur le paysage de régions entières.

Dès 1800, la moitié de l'industrie lourde mondiale est anglaise, et la moitié de l'Angleterre laborieuse – celle qui filait et tissait en famille, à la maison, entre deux récoltes sur les champs des autres – se retrouve au chômage, tandis que l'autre – celle qui rejoint, toute honte bue, les "filatures noires de Satan" – comprend bientôt que l'un au moins de ses chers vieux proverbes avait tout faux : pas d'odeur, l'argent ? Mais alors, pourquoi donc toussez-vous comme ça[30] ?

30. J'ai failli citer ici cet autre proverbe : Money is welcome, even if it comes in a dirty clout. *Hélas, même dans l'anglais vieilli de Daniel Defoë, un* cloud *(un nuage) n'est pas un* clout *(un torchon), et il ne s'agit jamais que de faire fête à l'argent "même dans un torchon souillé" !*

Les proverbes ont bon dos, me dis-je tout en poursuivant ma promenade, et songeant à cet autre vieux dicton local : "L'argent est comme le fumier : en tas, il pue ; mais quel engrais, sitôt étendu !" Or ici, on ne sent presque rien, et pourtant, entassé dans les banques ou étalé à longueur de fastueuses vitrines, l'argent certes ne manque pas !

Londres, de fait, sans gisements de fer ni de houille dans ses environs immédiats et mieux placée pour le trafic trans-Manche que pour le commerce intercontinental, a échappé à l'industrie lourde, à ses terrils et à ses pollutions[31] ; mais, si le "gros cœur" économique du pays battait désormais bien plus au nord, comment le "cerveau" – la City, sa bourse, ses compagnies à charte, ses banques et l'incontournable Lloyd's – aurait-il consenti à s'éloigner de la capitale mondiale de l'élégance, du luxe et de l'esprit ? Tout ceci, au fond, n'était qu'affaire d'imagination, ce dont Londres, dès qu'il s'agissait d'argent, n'avait jamais manqué – elle la patrie de l'ingénierie financière, du capital à risque et de la spéculation en bourse. L'argent sentait mauvais ? Qu'à cela ne tienne : on le désodoriserait !

Londres a même fait mieux encore, me dis-je aussi tandis que mes pas m'entraînent peu à peu de la City vers Soho, Mayfair et les abords de Hyde Park et Green Park – des sommets de la haute finance vers ceux de la *high life*, la grande vie. L'argent, ici, inodore embaume tout à la fois les parfums de Toscane, la fine gastronomie française et le bon air de la campagne[32] ! C'est le royaume de la gaieté londonienne – ce must absolu, depuis la *Merry England* de jadis jusqu'au *Swinging London* des sixties et à l'animation tellement *hip* de Camden Lock aujourd'hui –, du vrai chic anglais – tradition jamais démentie, depuis les folles toilettes d'Elisabeth jusqu'à la minijupe de Mary Quant et aux tailleurs bon chic bon genre de Saville Row – et de la classe *british*, celle des hôtels select et des clubs très fermés[33] où des portiers en livrée du XVIIe siècle "craignent hélas que l'entrée ne soit strictement réservée à nos honorables membres"...

"Là, tout n'est qu'ordre et beauté, luxe, calme et volupté" fredonne, du fond de ma mémoire, l'anglophile Baudelaire, qui se voulait un dandy, sinon un snob, mais mourut misérable. Qui dit "membres" dit aussi "non-membres", et se souvient de ces autres, pour qui l'ouvrier graveur londonien William Blake, qui n'était ni dandy, ni snob, mais simplement rebelle, composa cet autre refrain :

31. Le smog – cet infect mélange (le nom comme la chose), de fumée, smoke, *et de brouillard,* fog *– qui piquait naguère encore les yeux et la gorge de tout Londonien, était moins la rançon de l'économie que la somme des "petits cadeaux" quotidiens de quelques millions de maisons (et Dieu sait combien de bureaux et de boutiques) chauffées au bon vieux charbon des Midlands !*

32. J'exagère à peine : Hippolyte Taine, visitant Londres en 1876, y signale des vaches paissant paisiblement parmi les pelouses !

33. Détail saugrenu, mais qui en dit long sur un état d'esprit : la pelouse du Beaver Club dissimulait jadis un jet d'eau prêt à arroser le parvenu qui poserait par mégarde son pied non initié sur un certain endroit, connu des seuls membres.

"Chaque jour naissent, matin et soir,
Ceux voués d'avance au désespoir ;
Chaque jour naissent, soir et matin,
Ceux-là promis à des jours sereins.
Les uns, promis à des jours sereins –
D'autres, voués à la nuit sans fin."
Auguries of Innocence.

Et, tout comme se côtoyaient alors, selon la formule de Disraeli, "deux nations anglaises", la seconde aussi farouche et déshéritée que la première était confiante et raffinée, coexistent deux Londres aussi, dont je ne puis oublier l'autre non plus, pour l'avoir touché du doigt (et pas seulement du doigt !) au cours de ce premier hiver à Londres,voici vingt-cinq ans : le pavé humide et glacé, la survie au jour le jour, d'asile de nuit en home pour drogués ou en squat précaire, seule avec ma petite Samantha de deux ans...

Un voyage d'agrément au pays de cocagne, pourtant, comparé à ce qu'ici même ont dû endurer, jusqu'il y a un siècle à peine, des millions de paysans, clochardisés dans leurs campagnes confisquées au nom de l'efficacité moderne par une poignée d'intendants ambitieux, et qui tombent soudain sous le coup des *Poor Laws*. Fini le temps où les paroisses pourvoyaient, même chichement, à leur subsistance ! Ils n'ont plus qu'à aller se faire pendre ailleurs : aux colonies par exemple, ou dans les *workhouses*, ces "foyers" pour indigents qui sont surtout des bagnes, ou tout simplement dans les immenses et sinistres faubourgs où l'Angleterre des industriels puise sa main-d'œuvre, exactement comme elle puise dans les mines de quoi alimenter ses machines à vapeur :

"Levez la tête : les immenses palais de l'industrie empêchent l'air et la lumière de pénétrer jusqu'aux demeures humaines qu'elles dominent et enveloppent d'un perpétuel brouillard. Ici est l'esclave, là le maître ; là les richesses de quelques-uns, ici la misère du plus grand nombre..."

ALEXIS DE TOCQUEVILLE,
Voyages en Angleterre et en Irlande (1835).

Il faut voir, en ce terrible XIXe siècle, et même si l'urbanisme de l'époque excelle à les dissimuler dans les angles morts de la cité, les ruelles jalonnées de bourbiers et de monceaux d'ordures où l'on ne sait, des rats qui grouillent, du bambin qui joue ou de l'infirme qui se traîne, lequel – moins faible ou plus affamé – finira par manger l'autre tout cru[34] ; il faut pousser jusqu'à ces courées obscures autour desquelles les logements s'entassent, avec leur pompe à l'eau polluée et leurs latrines pour trente habitants ou plus[35] ; il faut descendre en ces sous-sols aveugles et chroniquement inondés où un cinquième de la population croupit dans le dénuement le plus complet, à une famille par pièce autour d'une table faite de planches posées sur des piles de briques et d'un sac de copeaux ou une litière de paille où parents et enfants s'entassent pour dormir[36].

Il faut oser pénétrer, surtout, bravant la gadoue, la pestilence et le fouet du contremaître, jusque dans l'atelier de manufacture, un hangar tour à tour glacial ou

34. A Preston en 1845, un enfant sur cinq meurt avant l'âge de cinq ans chez les bourgeois, le double chez les commerçants et le triple chez les ouvriers ! L'espérance moyenne de vie d'un ouvrier de Manchester n'excède pas dix-sept ans, contre trente-huit pour son patron (voire cinquante-deux, si celui-ci se trouve être en même temps propriétaire terrien à la campagne).

35. A Londres tout autant qu'ailleurs, la famine, l'épuisement, le choléra et le typhus prélèvent un immense tribut : celle qui est alors la ville la plus populeuse du monde (50 000 âmes en 1500, 200 000 vers 1600, 670 000 en 1700, 1 100 000 en 1800, 2 700 000 en 1850, 6 600 000 en 1900) est surtout connue comme "le tombeau de la race", décimé et repeuplé à chaque génération par des foules de ruraux ou de provinciaux.

36. Le chef de la police de Liverpool, dressant en 1867 la statistique hebdomadaire des enfants en bas âge morts dans le lit familial, étouffés sous d'autres corps, a cette remarque terrible : "On peut attribuer dans une grande mesure à la débauche du samedi soir le nombre record de décès enregistrés chaque dimanche matin" (36 contre 15 pour un matin "normal").

étouffant, où les machines tournent dans un bruit d'enfer, prêtes à happer la main qui tremble ou la tête qui dodeline après une journée de quinze heures, où des enfants de quatre ans sont employés, pour le quart du salaire (déjà dérisoire) d'un homme, à se faufiler dans des interstices ou des cheminées inaccessibles à un adulte pour aller graisser une courroie ou renouer un fil rompu sans qu'on doive arrêter la machine...

Il faut oser, enfin, suivre la piste de tous ceux que la moindre fluctuation de la conjoncture ou le caprice d'un patron tyrannique, le choléra ou un retour de bielle, le désespoir ou l'alcool des assommoirs[37] privent soudain du peu qu'il leur restait – du travail, un logement, une famille – et mènent inéluctablement aux confins de la déchéance et de la folie. Voici les cache-misère, les hospices-mouroirs, les *workhouses* concentrationnaires et les orphelinats-prisons – tout le réseau des *charities* que les associations religieuses et une poignée de philanthropes indignés multiplient dans l'espoir toujours déçu de parvenir à soulager un peu cette misère épouvantable, dont les pages les plus sordides de Dickens (*Oliver Twist*, 1837) et presque toute son œuvre à partir de là) ne font qu'effleurer l'abjection et les pamphlets les plus rageurs de Karl Marx (*Le Capital*, écrit à Londres à partir de 1864) que théoriser le désespoir – sans jamais entamer l'indifférence de ceux qui préfèrent croire avec Adam Smith (*Recherches sur la nature et les causes de la Richesse des Nations*, 1776, la bible du capitalisme libéral) que la libre entreprise, comme le Dieu du proverbe, "ne fait rien qui ne soit bien", et avec Malthus (*Essai sur le principe de population*, 1798) que, si le prolétaire voulait réfléchir un peu plus et forniquer un peu moins, c'en serait bientôt fini du chômage et des bas salaires !

37. Il est vrai, témoigne un aubergiste de Liverpool, que "les contremaîtres ou les patrons tiennent des débits de bière, et insistent pour que leurs employés y dépensent une partie de leur salaire, sans quoi ils les renvoient et embauchent ceux qui l'acceptent".

Non, me dis-je en redescendant vers Pall Mall et St James's Park, inutile de compter, pour que ça change, sur le brave bourgeois victorien[38] (appelons-le Mr Darling, comme le parfait spécimen imaginé par James Barrie dans *Peter Pan*). Inutile, donc, de compter sur ce respectable Mr Darling, si sobre, si responsable, si cultivé, si digne, si respectueux de l'ordre, et si intimement conscient de son rôle face au prolétaire abruti par l'alcool, la paresse, l'ignorance, la luxure et l'irréligion – mais tout autant à Mrs Darling, sa tendre épouse si futile et irresponsable, si délicieusement "féminine" en somme, à leurs cinq ou six petits darlings, encore si "puérils", à son laquais si servile et même à son chien si canin –, à l'image de l'Angleterre envers les indigènes veules et lascifs des colonies : le tuteur, sévère mais droit[39], choisi par la divine providence pour guider le monde dans la voie des Vraies Valeurs Morales.

Un fou dangereux, Mr Darling ? Que non pas : à peine un peu intégriste, comme tout être humain dès qu'on touche à ce qui donne sens à sa vie. Pour moi : mes enfants, mon homme, le goût et le sens du voyage ; pour d'autres, leur dieu, leurs racines, leur ambition dans la vie, leur auto, leur collection de timbres-poste, leur façon de faire cuire un œuf ou que sais-je encore... Et ce qui donne sens à la vie de Mr Darling, précisément, est cette conviction monolithique – mais douloureuse aussi, à la moindre défaillance, et courageuse, songeant à l'immense mission dont il se trouve investi – qu'il est, lui George Darling, lui un homme et non pas une femme, un adulte et non plus un enfant, un bourgeois plutôt qu'un misérable, un Anglais et non un Continental, un Blanc et non un Jaune ou un basané, lui un humain "à l'image de Dieu" plutôt qu'un chien... qu'il est, donc, l'admirable Modèle destiné par le Tout-Puissant à guider l'humanité (et le chien de Mr Darling) vers un avenir meilleur. Telle est donc sa fonction, sa mission, son apostolat même : pour ceux suffisamment dégrossis pour percevoir la profonde justesse de ce grandiose projet (c'est-à-dire le jeune *master* Darling, le majordome stylé, le chef d'atelier zélé, le boy en livrée, le contremaître indigène en complet-veston sous les tropiques, etc.), il lui faut incarner de manière exemplaire les vertus du parfait gentleman : rigueur morale et efficacité pratique, self-control sans faille et know-how sans états d'âme, réalisme politique et clairvoyance économique... Quant à tous les autres, c'est hélas aussi son devoir – par dévouement s'entend ! – de les corriger malgré eux. *Spare the rod and spoil the child*, comme aime à dire M. Darling : qui aime bien châtie bien !

38. Victoria, c'est bien plus que la reine matrone au règne fleuve (soixante-quatre ans, quand Elisabeth s'était contentée de quarante-cinq!). Elle incarne, jusque dans l'embonpoint et le regard pesant, toute une époque faite femme : celle de l'arrogante fortune anglaise qui s'auto congratule pour sa bonne mine, de l'Exposition universelle à Crystal Palace (1851) aux grands jubilés royaux (1887 et 1897) en passant par l'inauguration de l'empire des Indes (1876) – un cocktail permanent à la gloire du libre-échange et de la productivité, dont les toasts et les hymnes couvriront pendant deux tiers de siècle les gémissements des colonisés et la plainte des banlieues ouvrières.

39. André Maurois ne disait-il pas que l'Anglais type a "toutes les qualités du tisonnier, hormis sa chaleur épisodique" ?

C'est un point de vue, me dis-je en apercevant, tout au bout de Whitehall, le Parlement de Westminster – et rien ne dit que l'Angleterre en ait vraiment changé depuis. Méfions-nous d'un royaume dont le souverain demeure très officiellement défenseur de la foi[40], d'une démocratie héritière de la tyrannie d'un ayatollah[41], dont les parlementaires jouissent d'une vue imprenable sur le siège de l'Eglise "établie[42]" et où il est rare que le Premier Ministre prononce un discours sans y glisser une ou deux citations bibliques (imaginez la scène au Palais-Bourbon !) : dans le pays – déjà sous Victoria – le moins pratiquant d'Europe, la bonne conscience chrétienne est la "sauce à la menthe" dont on nappe invariablement le substantiel "gigot d'agneau" du pragmatisme social et politique !

Tel aussi le regard satisfait que Mr Darling jetterait, rétrospectivement, sur la conquête lente et difficile (au mérite et à l'ancienneté, corrigerait Mr D.) d'un minimum de dignité pour les travailleurs, hantés (galvanisés, corrigerait-il) par le spectre de la misère la plus abjecte. Les premières organisations ouvrières ne seront-elles pas des sociétés de secours mutuel ("Comme disait mon aïeul, opine Mr D., tout commence par l'épargne !"), des caisses de chômage ("Enfin ils ont compris : prévoyance est mère de sûreté !") et des coopératives ("Eh oui, rien ne vaut le travail !"), bien avant que les trade unions, à travers le Labour Party, s'intègrent dans le jeu politique du royaume jusqu'à imposer la quasi-dictature syndicale qui faisait rugir Maggy Thatcher ? ("Je le savais bien, qu'ils finiraient par apprendre : ils sont anglais, *by Jove* !")

C'est, sans doute, oublier un peu vite les milliers de pendaisons et de déportations en Australie qui sanctionnent les émeutiers briseurs de machines de 1802 et les militants "chartistes" qui réclament le droit de vote dans les années 1840, et jeter un voile pudique sur l'effroyable lenteur du processus : il faut attendre 1875 pour que le *Chimney Sweeps Act* interdise d'employer des gosses pour ramoner les cheminées à la main, et 1918 pour que le suffrage – masculin – devienne universel. ("Je le leur ai toujours dit, à ces va-nu-pieds : avec de la patience, on arrive à tout !")

40. Perfide Albion ! Le pape avait à peine octroyé le titre à Henri VIII, brillant théologien, que celui-ci en profitait pour soustraire l'Eglise d'Angleterre à l'autorité du successeur de Pierre !

41. Oliver Cromwell, le puritain sanguinaire dont la tête resta fichée ici même au bout d'une pique pendant vingt-trois ans, mais dont l'héritage politique – la Déclaration des droits – demeure, trois cent quarante ans plus tard, la pierre angulaire de cet Etat sans Constitution !

42. L'Eglise anglicane officielle occupe l'imposant Lambeth Palace, juste en face des Houses of Parliament sur la rive droite de la Tamise.

C'est surtout ignorer que le travailleur anglais, même enrichi et embourgeoisé, reste bel et bien, et plus que nulle part ailleurs, un travailleur et fier de l'être, avec son propre langage, ses signes de reconnaissance, ses usages, ses réseaux, bref tout ce qui fait une nation à part entière. Ou n'est-ce là encore qu'une façon pour la *working class* de s'intégrer au système de castes de la société anglaise, prenant dignement sa place aux côtés de la *royalty*, de la *nobility*, de la *gentry* et de la *middle class* ? Même cet affreux radical d'Orwell est bien obligé d'en convenir : il n'y a pas plus "insulaire" et anglomane qu'un ouvrier anglais ! ("Quand je vous le disais !" glousse, ravi, Mr D.)

Mr Darling a toujours raison ! Quand il finit (en 1928, pas avant[43]) par accorder le droit de vote à sa chère écervelée d'épouse, c'est bien parce qu'elle a prouvé, en tenant fermement la maison Angleterre pendant que Monsieur pataugeait dans les tranchées de la Somme, qu'elle aussi était capable du *stiff upper lip*[44] qui signe le caractère anglais ! (Mr D. préfère oublier celui qu'elle démontra en choisissant la prison, en posant des bombes ou en se jetant sous les roues du carrosse royal...) Quand il offre enfin aux pauvres les moyens de survivre sans mendier, c'est sans doute parce qu'ils ont enduré sans broncher, en vrais Anglais, le Blitz d'Adolf et le *blood, sweat and tears*[45] de Churchill : le Warfare State (la "nation en guerre") accouchera du Welfare State (l'"Etat providence"). Et quand il daigne recueillir sur son île Blanche le *black million* (ou plus exactement les trois millions d'immigrés de couleur qui affluent de tout l'Empire), n'est-ce pas encore avec un même mélange de sens du devoir et de paternalisme autosatisfait, comme on ramène dans ses bagages le brave boy qui ne se remet pas du retrait "à l'anglaise" de la *mam' sahib* Angleterre ?

43. Et le jour même de la mort d'Emmeline Pankhurst, après vingt-cinq ans de lutte à la tête de ses intrépides suffragettes...

44. La "lèvre supérieure imperturbable", symbole absolu du flegme dans l'adversité.

45. "Du sang, de la sueur et des larmes", peut-être la seule promesse électorale qui fut jamais intégralement tenue !

Il y a toutefois une faille dans le raisonnement du bon Mr Darling (ou son conformisme béat – car chez ces gens-là, monsieur, on n'pense pas : on lit le *Times* et passe à table)...

L'Angleterre victorienne a toujours mis un point d'honneur à prétendre que les conditions de vie déplorables de ses ouvriers n'étaient pour elle que souci et manque à gagner : ah, si vous saviez ! – tous ces travailleurs qui, à peine sortis de leur cambrousse, se mettent à mourir de faim ou du typhus pour un rien, à sombrer dans l'alcool ou la révolte pour un oui ou pour un non ! Quant aux miséreux, on n'imagine pas ce que coûte à la société l'entretien de tous ces *workhouses*, ces hospices et ces bagnes de Sa Majesté – sans parler de la pègre tenace qui fleurit sur ce fumier[46] !

Quant aux colonies, n'en parlons pas ! Quand par extraordinaire il s'y trouve un peu de charbon, il sert à ravitailler les navires en route pour plus loin encore ; et si l'on y écoule une part du produit des manufactures anglaises, c'est sur des marchés moins solvables que les pays en voie d'industrialisation ! Au fond, sauf comme exutoire pour les prolétaires en surnombre (et cette racaille d'Irlandais indécrottablement papistes), tout cela coûte plus au pays que ça ne lui rapporte – heureusement qu'il reste les revenus "invisibles" de la marine marchande et des services bancaires pour corriger le déficit chronique du commerce extérieur ! C'est au point que tout au long de son âge d'or colonial l'Angleterre envisagera périodiquement de se défaire de cet encombrant cadeau de l'histoire, n'y renonçant en fin de compte (mais souvent de justesse) qu'en raison du prestige de l'Empire, de considérations géostratégiques face aux autres puissances d'Europe (imaginez les Français en profitant pour mettre le grappin dessus !), d'un certain goût national pour l'exotisme (ah, la fascination du raj[47] chez des épiciers qui n'ont jamais quitté Stoke on Trent !), de l'arôme du thé et d'un sens indéniable du devoir moral : Dieu n'a pas pu combler à ce point l'Angleterre et son peuple de surdoués sans leur conférer en contrepartie une mission civilisatrice à l'égard de ces continents arriérés – "le fardeau de l'homme blanc", dira Kipling[48].

N'empêche que la fin graduelle de l'impitoyable exploitation de l'homme par l'homme en Angleterre[49] et le détricotage progressif de l'Empire en un vague Commonwealth of Nations auront vite fait de percer à jour, sous le "miracle"

46. *Ce n'est jamais – le Stevenson de* Dr Jekyll et Mr Hyde *comme Conan Doyle avec Sherlock Holmes et l'indestructible Moriarty l'avaient déjà compris – que le revers obscur de la fière médaille capitaliste !*

47. *L'Empire des Indes, synonyme, dans l'esprit victorien, de joyaux fastueux, de plantations de thé et de garden-parties sous les tropiques entre deux chasses au tigre – la révolte des Cipayes (1857) ne fait pas partie du tableau.*

48. *Mais la plus belle illustration en est évidemment, avec un siècle d'avance, le couple Robinson-Vendredi imaginé par Daniel Defoe.*

49. *Les esclaves des colonies, eux, avaient été émancipés dès 1833 ! "Tous les hommes sont égaux", aurait commenté Orwell, avant d'ajouter son fameux : "mais certains sont un peu plus égaux que d'autres"...*

britannique, le "mirage" victorien. De grande dépression (1873-1895) en *Great Unrest* (1911-1913, quand la Grande-Bretagne faillit devenir une république des soviets) et de grandes grèves (1921) en grande crise (1931) à l'intérieur, de révolte des Cipayes en guerre des Boers et de *Home Rule* pour l'Irlande en décolonisation générale à l'extérieur – sans compter deux guerres mondiales, certes "glorieuses" mais surtout dévastatrices –, l'Impératrice des Océans, sitôt privée de ses serfs et ses coolies, ressemble bientôt à une vieille fille ballottée par les flots. Aucun des autres atouts qui faisaient la confiance absolue de Mr Darling en son grandiose destin civilisateur – les finances inépuisables de la City, la haute main sur le trafic maritime, le pétrole de la mer du Nord après le charbon des Midlands, et ces inventeurs à qui on devra encore, pêle-mêle, le vaccin, le téléphone, la télévision, l'ordinateur, le bébé-éprouvette etc.[50] – n'enrayera le déclin.

Celle qui était encore la première puissance industrielle mondiale en 1890 se laisse doubler tour à tour par les USA, l'Allemagne, l'Union soviétique, la France (Good Heavens !) et le Japon.

Celle qui depuis deux siècles se contentait de maintenir la *pax britannica* sur le Continent, afin d'avoir les mains libres pour commercer partout ailleurs[51], glisse lentement mais sûrement de son statut de force planétaire vers un isolement de moins en moins "superbe".

Celle qui, encore en 1958, snobait du haut de son trône un fauteuil dans l'Europe communautaire – non sans citer Churchill : "Entre le Continent et le grand large, toujours l'Angleterre choisira le second !" –, se résignera, trois ans plus tard, prise *between the Devil and the deep blue sea*, entre le diable et la mer sans fond, à choisir le diable et solliciter un siège (mais éjectable, s'il vous plaît !) qu'elle n'obtiendra qu'après douze ans de purgatoire et la mort du général de Gaulle !

Et le major Thompson de Daninos, né dans un Empire sur lequel le soleil ne se couchait jamais, de finir ses jours sur son îlot où l'astre du jour reste généralement couché...

50. Sans parler, entre mille autres articles indispensables, de la panoplie du touriste – y compris la carte postale et le timbre ! –, de l'alpiniste et du sportif de plein air (tous loisirs longtemps propres aux seuls Anglais) et, pour le spectateur, de l'équipement complet des vêtements et accessoires de pluie !

51. "Nation de boutiquiers !" lâchera dédaigneusement Napoléon, non sans réprimer un douloureux : "Ah, Trafalgar ! Oh, Waterloo !"

Victoria Embankment : me revoici au bord de la Tamise, grise à nouveau sous un ciel bouché. Derrière moi, Big Ben sonne un peu lugubrement l'heure du soir, d'un très long soir après une très longue journée, pour l'Angleterre comme pour moi. Là-bas, un peu plus loin vers l'aval, l'obélisque de Victoria's Needle semble grelotter, songeant à son chaud soleil d'Héliopolis, sur son massif dans lequel les *aldermen* de 1878, les édiles de la City, firent sceller un coffret contenant le plus attendrissant des trésors : un plan de Londres, la Bible et l'indicateur des chemins de fer, un rasoir, quelques jouets et douze photos de beautés de l'époque ; mais je doute fort, hélas, que les yuppies promoteurs de la "nouvelle City", dont les tours d'acier et de verre poussent parmi les terrains vagues des Docklands, plus loin encore vers l'aval, aient songé à déposer dans les fondations ne serait-ce qu'une épingle de nourrice façon punk ou une photo des Spice Girls !

Une yole de plaisance passe à la dérive sur le fleuve, et je songe à cette autre yole, la *Nellie*, que Joseph Conrad (Dans *Heart of Darkness*, Cœur des ténèbres, devenu au cinéma *Apocalypse Now*) imagina comme décor pour le récit d'une autre dérive sur un autre fleuve, un autre soir – et de toutes les dérives, sur tous les fleuves de la planète et sur ceux du temps, ce très long soir :

"La marée avait fini de monter et le vent était presque tombé. Il ne nous restait plus qu'à mettre à l'ancre et attendre le reflux pour redescendre en aval.

L'estuaire de la Tamise s'ouvrait devant nous comme l'entrée d'une voie sans fin. Une brume flottait sur les berges basses dont les lignes fuyantes se perdaient vers la mer. Le ciel, sombre sur Gravesend, semblait s'épaissir, plus au loin encore, en une obscurité morose, chape immobile suspendue par-dessus la plus grande cité au monde, et la plus fameuse.

Le soleil se coucha, l'obscurité tomba sur le fleuve, les premières lumières apparurent le long des berges. Les feux des bateaux se croisaient dans le chenal, tout un remue-ménage de fanaux qui allaient remontant ou descendant le cours de l'eau. Et plus à l'ouest, on reconnaissait encore, comme une marque sinistre sur le ciel en amont, l'emplacement de la ville monstrueuse – ombre pesante sous le soleil, lueur blafarde sous les étoiles.

– Et pourtant ceci aussi, lança soudain Marlow, a été une des zones d'ombre sur la carte du monde... Imaginez ce que pouvait ressentir le capitaine d'une... comment dit-on déjà ? – d'une belle trirème en Méditerranée, à qui on ordonnait brusquement de mettre le cap au nord... Imaginez-le arrivant ici : le bout du monde, une mer couleur de plomb, un ciel couleur de fumée, et avec un rafiot guère plus rigide qu'un accordéon pour emmener du matériel, des instructions ou que sais-je jusqu'en amont du fleuve... Des bancs de sable, des marécages, des forêts, des sauvages, pas grand-chose de mangeable pour un civilisé et rien à boire sauf l'eau de la Tamise... Puis débarquer dans un marigot, marcher à travers bois et là enfin, dans quelque poste de l'intérieur, sentir que la sauvagerie, l'absolue sauvagerie s'est refermée autour de lui, remuant de tous côtés de toute sa vie mystérieuse – dans le fourré, dans la jungle, dans le cœur même des hommes sauvages... Et ces mystères-là, nulle initiation ne lui permettra de les comprendre ; il lui faudra vivre dans un univers à la fois inexplicable et haïssable... Et en même temps il sent qu'il en émane une sorte de fascination : celle de l'Horreur, si vous voyez... Imaginez-le, rongé de nostalgie, ne rêvant plus qu'à fuir, terrassé par le dégoût, puis l'abandon, puis la haine..."

Il fallait bien Joseph Conrad en somme – cet "immigré", ce marinier des bords de la Baltique, devenu sur le tard le plus brillant prosateur de la langue anglaise et l'analyste le plus aigu du vague-à-l'âme britannique – pour réussir au seuil de notre siècle ce saisissant condensé des états d'âme d'un pays. Un peuple flottant, venu au gré des flots et qui se sent, après avoir longtemps mené sa barque sans faillir, partir un peu à la dérive. Une nation qui prétendait inculquer la civilisation au reste de la planète et, au reflux de la vague, se souvient avoir été elle aussi sauvage et hantée et redécouvre, sous son vernis d'assurance conquérante, l'angoisse immémoriale des hommes du nord…

L'Angleterre, qui avait triomphé de tous les labeurs du monde, allait-elle sombrer, venu le jour du repos, dans le *spleen* et l'ennui ?

WHITBREAD & COMPANY
BRITANNIA

St Gowan's Head, Pembroke, pays de Galles.

Bedruthan Steps, Cornouailles.

"Cette île au sceptre royal... Cette forteresse bâtie par la nature...
Cette race heureuse d'hommes, ce petit univers, cette pierre précieuse enchâssée dans la mer d'argent,
Qui la protège comme un rempart... Ce coin béni, cette terre, ce royaume, cette Angleterre..."

SHAKESPEARE, *Richard II.*

The Longman, Wilmington, Sussex.

Alton Barnes, Wiltshire.

Seven Sisters, Sussex.

Iles Scilly au large de la Cornouailles.

Avebury, Wiltshire.

Croix celtiques près de Land's End, Cornouailles.

Le mur d'Hadrien près de Carlisle, Cumberland.

Légion "romaine" en formation de "tortue"…

... Rien ne sert de courir, chacun épouse la tradition qu'il veut !

Reconstitution de la bataille d'Hastings, Sussex.

Evocation de la guerre civile.

Cathédrale de Gloucester.

British tea dans la cathédrale de Chester !

Musique moderne sur toile gothique ! Abbaye de Bath, Somerset.

Abbaye de Rievaulx, Yorkshire.

Henri VIII, château de Cardiff, Glamorgan, pays de Galles…

… et son ministre le cardinal Wolsey, Hampton Court, Londres.

Tunbridge Wells, Kent.

"Une maîtresse française et une femme anglaise, voilà l'idéal de la vie."
HECTOR MALOT

Royal Albert Hall, Londres.

Steam Fair, Dorset.

"Avec la vapeur et la Bible, les Anglais traversent l'univers."
Tallis

Froncysyllte Aqueduc, Clwyd, pays de Galles.

Ellesmere Port, Cheshire.

Liverpool, Lancashire.

Portsmouth, Hampshire.

Whitehall, Londres.

Boadicea Monument, Westminster, Londres.

"Un dimanche d'été, quand le soleil s'en mêle,
Londres forme un régal offert aux délicats."

VICTOR HUGO

Royal Exchange, Londres.

Tower Bridge, Londres.

Houses of Parliament, Westminster, Londres.

Docklands, Londres.

Eton College, Berkshire.

"Danse des cornes de cerf" à Abbots, Bromley, Staffordshire.

Hyde Park, Londres.

"Honni soit qui mal y pense,
tel qui s'en rit aujourd'hui
demain s'honorera de la porter."

Eton College,
le jour de la fête des familles.

Regent's Park, Londres.

Oxford.

Jack-in-the-green à Hastings, Sussex, ou la mise à mort de l'hiver.

Fin d'année à Oxford ou la naissance d'une carrière !

Oxford.

King's College à Cambridge.

Les rows de Chester.

Randonnée et lèche-vitrine.

"Quant à Bath,
toute l'histoire s'y est rendue,
s'y est baignée et y a bu."
WILLIAM THACKERAY, 1857.

Les thermes romains,
Bath, Somerset.

Le Royal Crescent à Bath.

Bodiam Castle, Kent.

Retour du ménestrel
à Chester.

Stokesey Manor, Shropshire.

Evocation de l'époque Tudor à Hampton Court, Londres.

Avebury, Wiltshire.

Concours de tonte des moutons au pays de Galles.

Fileuses dans le Yorkshire.

Près d'Appleby, Westmorland.
"Aime ton cheval plus que ta femme. Celle-ci peut te quitter sans crier gare, un bon cheval jamais", proverbe tzigane.

Kirkby Stephen, Westmorland.

Gitans à la foire d'Appleby.

Régates royales de Henley, Oxfordshire.

"Chaque Anglais est une île."
NOVALIS

Régates de Cowes, île de Wight.

Eastbourne, Sussex.

"Quand un Anglais rencontre un autre Anglais,
le premier sujet de conversation c'est le temps qu'il fait."

SAMUEL JOHNSON

La pierre "magique" de Men-an-Tol, près de Land's End, Cornouailles.
Encore de nos jours, le rite veut qu'un enfant passé
neuf fois par le trou soit protégé contre les maladies.

St Austell, Cornouailles.
Le kaolin est l'ingrédient secret que les Chinois utilisaient pour fabriquer la porcelaine.
Il fut découvert en Cornouailles à la fin du XVIIIe siècle.

Kingston-upon-Thames, Londres.
La tradition chancelle mais
la nouvelle génération arrive.

Portsmouth, Hampshire.

Plymouth, Devon.

Kynance Cove, Cornouailles.

"Il y avait une liberté ici, une liberté qui faisait partie de l'air et de la mer."
DAPHNÉE DU MAURIER

Entre modernité, flegme et tradition, l'art d'être britannique !

UNE CARTE D'ANGLETERRE

Londres encore, toujours Londres – épuisante, inépuisable... "Tous nos ruisseaux, note Thomas Miles en 1601, vont à une seule rivière, toutes nos rivières courent à un seul port, tous nos ports touchent à une seule ville, toutes nos villes ne font qu'une cité, et toutes nos cités et faubourgs qu'une seule vaste Babel de construction encombrante et désordonnée, que le monde nomme Londres." "Qui sait, se demande, trois siècles plus tard, Virginia Woolf, la grande prêtresse de Bloomsbury, pourquoi nous l'aimons ainsi, pourquoi nous la voyons ainsi, pourquoi nous l'élevons autour de nous, la construisons, la détruisons – et la recréons à chaque minute ?" Mais répondre à la question demanderait une vie, peut-être précisément parce que, selon le mot de Samuel Johnson, "être las de Londres, c'est être las de vivre, car Londres offre tout ce que la vie peut offrir".

Une vie, peut-être – mais demain est dimanche, et "il n'est sur terre spectacle plus affligeant que Londres par un dimanche pluvieux", me prévient Thomas De Quincey, sur quoi Hippolyte Taine renchérit : "un dimanche à Londres par la pluie, boutiques fermées, rues presque vides, c'est l'aspect d'un cimetière immense et décent. Les rares passants, sous leur parapluie, dans le désert des squares et des rues, ont l'air d'ombres inquiètes qui reviennent. Cela est horrible."

Malgré quoi j'irais bien faire mon marché à Shepherd Market ou chiner à Petticoat Lane, mais faire son shopping à Londres le dimanche matin vous a un je-ne-sais-quoi de trop "continental", et la relève de la garde à Buckingham Palace un je-sais-fort-bien-quoi de trop cliché ! Restent donc les distractions des Londoniens eux-mêmes – du moins ceux qui ne passeront pas le jour du Seigneur à feuilleter l'épaisse édition dominicale du *Times* ou de l'*Observer* – mais laquelle choisir ? L'étape traditionnelle au pub de quartier avant le *sunday dinner* en famille ? J'en sors... Ecouter une demi-heure durant le très savant carillon de la cathédrale St Paul ? Un rien trop minimaliste, peut-être... Assister à la *tea party* des chimpanzés au zoo de Regent's Park, pour le plaisir très victorien de voir ce goûter très comme il faut virer bientôt à un saccage digne du non-anniversaire du Chapelier fou dans *Alice au pays des merveilles* ?

Décidément non : je quitte Londres. Par où ? D'instinct, je choisis l'ouest – vieux réflexe occidental, celui qui a mené jusqu'ici les ancêtres des Anglais eux-mêmes, avant de les faire rebondir vers d'autres Californies encore – et m'aperçois, mais un peu tard, que ce qui valait jadis pour les Indo-Européens vaut encore pour les Londoniens d'aujourd'hui : ils ont tous choisi comme moi !

Heureusement, peu après le passage du méridien de Greenwich, une bonne partie de l'immense cohorte, avide de campagne avant même d'avoir quitté la banlieue, bifurque bientôt au sud vers les palmiers de Kew Gardens et l'immense parc de Richmond tandis qu'une autre s'en va se perdre dans le labyrinthe de Hampton Court.

Ainsi nous partîmes cinq cent mille mais, par un lent transport, nous trouvâmes plus mobiles en arrivant à Windsor... où hélas le pavillon flottant au-dessus du palais royal m'apprend que Sa Majesté a rallié la demeure de ses propres ancêtres : la saison mondaine bat son plein, de courses à Ascot en régates à Henley ! Il ne me reste donc plus, prétextant avoir oublié mes crinolines et mon argenterie de pique-nique dans le coffre de ma Rolls, qu'à poursuivre ma remontée aux sources de la Tamise...

*

* *

La Tamise, ou bien le temps ? Le doute, décidément, est permis... Les petits bourgs que sont la plupart des "villages" anglais se succèdent, cultivant leur passé comme on laisse infuser le thé sous le capuchon molletonné de la théière. De chaque patelin, inévitablement, le nom se prononce tout autrement qu'il ne s'écrit – doux snobisme d'indigène –, et chacun vaque depuis toujours à sa minuscule industrie – ici on fait des chaises depuis le XVIe siècle, là se tresse le canotier qui se porte à Epsom le jour du derby, ailleurs on tisse un tweed mis à la mode par telle marquise d'antan pour les plaids de mi-saison, ailleurs encore on confectionne, précisément, le capuchon pour théière qu'appréciait déjà Isaac Newton : menues fiertés d'artisans.

Chacun, inévitablement, s'enorgueillit d'un manoir sans âge, d'un antique prieuré, de quelques demeures médiévales, d'un pub vénérable, d'un arbre pluri-centenaire et d'un prestigieux château tour à tour normand, Tudor, élisabéthain, gothique perpendiculaire ou décoré, classique, baroque, géorgien ou victorien – mais on y voit aussi un pavillon typiquement Renaissance italienne ou une folie qui aurait sa place en bord de Loire. Tout cela, inévitablement, cité dans les manuels d'histoire, enguirlandé d'anecdotes et de mentions dans la littérature et festonné de l'une ou l'autre légende que rappelle, tel jour de l'année, un minuscule rituel aussi maniaque dans sa précision que familial dans son intimité – tout cela investi, en somme, de présences révolues, d'un souvenir vivant qui jamais ne confine à la nostalgie, d'une charge de jours et de saisons que les hommes portent avec la même douce complaisance qu'une pierre s'habille de mousse et un arbre d'un vieux lierre familier, son confident. Et tout cela hanté, aussi, inévitablement.

Ainsi pas deux bourgs ne se ressemblent et tous, pourtant, sont distinctement anglais ; partout la même High Street avec ses antiquaires-brocanteurs[52] et ses *charity-shops*[53], les mêmes arbres et la même cabine téléphonique rouge autour du *green*[54], le même cimetière aux pierres moussues et les mêmes cottages au toit de chaume, blottis parmi leurs haies vives et leurs parterres fleuris jusqu'à sembler des théières à leur tour – et nulle part, pourtant, la même ambiance, chaque recoin de ces campagnes porteur de sa propre touche de couleur dans le tableau d'ensemble : la démocratie, en somme, dans une VO très britannique, subtil mélange de conformisme et d'excentricité, d'individualisme farouche et de tradition commune, de discret quant-à-soi et de distinction affichée...

Partout aussi ces jardins dits "anglais[55]" qui sont un autre superbe autoportrait du peuple d'Angleterre : une démocratie d'arbres, de buissons et de gazons, avec ce goût unique pour une nature savamment orchestrée mais jamais domestiquée, cultivée "sauvage" comme ces ruines que l'on construit "écroulées" – et un vertigineux condensé d'histoire anglaise, où l'atavisme campagnard de l'âme saxonne se marie à l'obsession normande du domaine, avant que ces temples du culte de la verdure, plantés par des *landlords* venus de la ville sur des terrains arrachés aux anciens *commons* des villageois, soient rendus à la jouissance des mêmes, devenus citadins sans rien oublier de leur fibre rurale[56].

52. Je n'ai jamais su où les Anglais mettent, dans leurs intérieurs bonbonnières, souvent charmants mais rarement spacieux, l'invraisemblable bric-à-brac de "chères vieilles choses" et de collections dont ils font l'emplette chaque week-end !

53. Très victorienne, au fond, cette façon qu'on a d'y faire de bonnes affaires tout en ayant une pensée pour le triste sort des aveugles unijambistes, des chiens perdus ou des lépreux du Tiers Monde...

54. L'usage de ménager cette aire dégagée parmi les maisons du village remonte aux Saxons, qui y parquaient leur bétail pour la nuit, à l'abri des razzias et des loups ; rien de plus juste, au fond, que d'y retrouver aujourd'hui, à l'abri du trafic, l'aire de jeux des enfants et le terrain de cricket des aînés.

55. Simple spécialité locale, mais qui voisine partout aussi avec d'admirables jardins à la française ou à l'italienne, mauresques ou japonais, botaniques ou floraux – voire avec des vergers, des potagers et des jardins de curé d'un art non moins subtil.

56. En 1750 encore, quatre anglais sur cinq étaient des ruraux ; huit générations plus tard en 1911, c'était l'inverse, à une époque où seule une minorité de Français, d'Allemands ou d'Américains "jouissait" du bruit, des fumées et de la promiscuité de la ville !

A Oxford aussi, le temps me joue des tours[57] : au fil des *colleges* qui affichent tous les styles à la fois, panachés et parsemés avec art au fil de jardins infiniment bucoliques, j'ai bien cru reconnaître, flirtant sous les ormes ou canotant parmi les cygnes, les mêmes fils de famille qui ce matin encore, du côté d'Eton[58], avaient dix ans de moins, mais jouaient au ballon ou paradaient en uniforme[59] avec déjà cette placide assurance de vivre dans un autre présent que celui du commun des mortels, jouant du passé comme d'un élan pour rebondir et de l'avenir comme d'un patrimoine inaliénable. Ainsi Oxford (et Cambridge tout autant), cette thébaïde pour étudiants insoucieux et professeurs distraits, est-elle en même temps, à l'image encore de l'Angleterre – à moins que ce ne soit l'inverse –, un musée et un laboratoire à la fois, lieu pétri d'archaïsme et d'invention à parts égales, où sous les voûtes gothiques et les plafonds à caissons une pléiade de chercheurs d'élite enfantent paisiblement les merveilles de demain.

*

* *

Nouveaux villages, tous délicieux, blottis au pied des Cotswolds comme les moutons autour d'une massive bergerie ; nouveaux châteaux, tous vénérables et dignement hantés ; nouveaux jardins, tous subtilement paysagés (je ne jurerais pas que quelques-uns, admirés au passage, n'étaient pas des coins de lande sauvage, creusée de gorges boisées, plutôt que de savantes recréations)...

Puis c'est Stratford on Avon, où tout est Shakespeare et qui sans Shakespeare ne serait rien – juste sanction, selon l'esprit anglais, d'une dévotion exclusive qui frise la faute de goût, quand le moindre hameau rural, tout comme la moindre venelle de Londres, se trouve sans peine un quarteron de gloires locales ou d'éminents citoyens à célébrer d'une jolie plaque de bronze...

Puis, aussi soudainement surgie au détour d'une colline qu'elle naquit au tournant du XIXe siècle, apparaît Birmingham, prodigieuse création de l'âge industriel : "La ville, écrivait Tocqueville en 1851, n'est qu'une énorme forge, un immense atelier, une vaste boutique. On n'y rencontre que des gens affairés et des visages noircis de suie." Mais qu'est-ce qu'un siècle d'existence pour une ville ? Cette géante n'était en somme qu'une enfant en pleine crise de croissance, avec du fer et de la houille pour jouets. Son vrai visage, ce n'est qu'aujourd'hui qu'on commence à le distinguer, au sortir de la crise d'adolescence qui a secoué l'Angleterre des usines : une

57. Mais quoi de plus normal en somme ? Je marche sur les traces encore fraîches et rêveuses de Lewis Carroll, disparu lors de certaine chasse au snark, et de JRR. Tolkien, qui voyait des hobbits partout !

58. A un jet de pierre du palais de Windsor – mais jeter des pierres en cette direction y serait excessivement mal vu ! –, la plus aristocratique (avec Rugby et Harrow) des public schools, *ces pensionnats très... privés et délibérément élitaires que le public roturier réprouve et envie à la fois – d'où l'existence aussi, à côté des* comprehensive schools *qui accueillent les écoliers de chaque localité, de* public schools *publiques (les* grammar schools*), qui recrutent sur examen d'entrée comme les premières sur pedigree.*

59. Sport (pour l'autodiscipline et le sens de l'effort) et esprit de corps (assorti d'une féroce hiérarchie interne) restent les deux mamelles – avec le grec ancien et le prestige de l'uniforme – de la bizarre éducation que l'élite des Anglais prodigue à ses rejetons ; quant aux compétences, il sera toujours temps d'y pourvoir ensuite, lorsque l'élégant et athlétique diplômé rejoindra le cabinet ou la société de quelque oncle ou vieil ami de la famille.

métropole grise et sévère, sans doute, autant qu'Oxford est verte et riante – mais les deux villes, la studieuse et la besogneuse, la savante et l'industrielle, rivalisent d'égal à égal pour l'étourdissante richesse de leurs musées et la secrète puissance de leurs laboratoires, chacune en possession de sa moitié de l'étrange formule qui transforme le passé anglais (et peu importe apparemment qu'il soit fait d'épreuves ou de privilèges) en un perpétuel défi à l'avenir...

Mais voici que le paysage lui aussi se met à changer au fil de la route : aux vallons mollement ondulés de la campagne anglaise succèdent des versants plus raides et boudeurs sous un ciel où les anges se livrent à une bataille de polochons ; les fermes avenantes – murs à colombages et toits de chaume – font place à des bâtisses plus renfrognées, de pierres sèches et d'ardoise. Vieilles ossatures comme d'un géant de légende, les montagnes galloises pointent à l'horizon de la ville-frontière de Shrewsbury, au-delà du pont en fonte d'Ironbridge, cette futuriste antiquité.

Je ne sais à quoi songeait Alfred E. Housman, l'enfant du pays et le poète le plus frais d'Angleterre depuis Shakespeare, en troussant cette chansonnette :

"Lourd et féroce, l'ours de Russie
A dévoré l'enfant joli –
L'enfant joli n'a pas remarqué
Que l'ours de Russie l'a avalé."

– mais rien ne m'empêchera d'y voir le vieux pays gallois[60] aux prises avec son imposant voisin normand, qui l'a bel et bien croqué depuis le temps des fiers roitelets médiévaux héritiers d'Arthur, mais sans que le "petit prince" de Galles ne daigne s'en aviser mie : il chante !

60. Gallois, Gaulois, Gaels, Galates, Galiciens, Calédoniens, Celtes – autant de variantes pour le même nom, plus approprié en l'occurrence que le mot anglais : Welsh, *dérivé d'un vieux mot... celtique signifiant "étranger" (la confiance règne décidément :* to welsh, *tout comme* to take French leave, *signifie en anglais "filer à... l'anglaise" !). Pour le nom du pays, on préférera néanmoins celui qu'il s'est choisi depuis toujours : Cymru (qui se dit, selon la très curieuse prononciation galloise, Koumri).*

"Je ne suis pas celui qui ne chante pas ! J'ai chanté depuis mon enfance", entonne fièrement Taliesyn, un des grands bardes peu ou prou légendaires dont l'héritage, rassemblé dans le *Livre rouge d'Hergest*, est le premier trésor littéraire de l'Occident, d'où sortirent, tout armés de leurs sortilèges, Merlin et Arthur, Tristan et le roi Lear. Jamais les Gallois n'oublieront, conquis ou non par Rome, l'Irlande, les Saxons, les Vikings, les Normands ou les maîtres de charbonnages anglais : quoi qu'il advienne, ils resteront ce peuple – petit par le nombre mais grand par la voix et par l'écho que lui renvoient ses montagnes – cramponné à sa langue, qui n'a jamais été plus vivante qu'aujourd'hui, et à sa terre magique,

"Eden des bardes,
Patrie des plus beaux chants"

– un peuple de suaves chanteurs et d'orateurs véhéments, de beaux parleurs[61] et de poètes magiciens (en ce siècle encore, Dylan Thomas), dont la "fête nationale", l'*Eisteddfod* annuel de Llangollen, est un conclave de danseurs, de conteurs et d'admirables chorales.

*
* *

Où suis-je – et surtout quand ? Tout désormais se mélange, l'ancien et le nouveau, l'anachronique et le paradoxal... Je crois me souvenir (ou l'ai-je rêvé ?) que le premier pont suspendu du monde me menait sur Anglesey, l'antique île sanctuaire des druides. A Chester – *curiouser and curiouser*, dirait Alice au Cheshire Cat – ai-je vraiment vu le crieur public officier sous les façades à colombages ? Ai-je vraiment pris le thé dans une cafétéria sous les voûtes d'une église pas même désaffectée ? Et passé les remparts de la ville, qu'était cette immense structure en bord de route : un fort préhistorique ou un radiotélescope tourné vers les étoiles ? A Liverpool, dont les quais virent débarquer des balles de coton par milliards et s'embarquer neuf millions d'expatriés faméliques dans le même siècle, j'oublie si la "caverne" qu'on m'a montrée était un puits de mine ou un mouroir à ouvriers, l'antre d'un sabbat de sorcières ou celui des Beatles... Je confonds l'estacade victorienne de Blackpool et le quai de Wigan, le roman où Orwell dénonce l'horreur de la condition ouvrière...

61. Ou d'intarissables bavards, selon les Anglais, et de vantards épiques – comme il sied, en somme, à un peuple né au bord de rivières dont le débit, dit le proverbe, est fait "moitié d'eau, moitié de truites" !

Et soudain, à la sortie de Preston ("filatures, constructions mécaniques, belles maisons georgiennes, intéressant musée" – comme partout ailleurs !), ce panneau : "The Lake District".

Voilà ce qu'il me faut ! Oui, comme jadis les poètes romantiques[62], Wordsworth en tête, cherchèrent par là-bas, loin du "fracas des bourgs et des cités" envahis par les machines, les fumées et les grincements d'un nouvel âge, une Angleterre des sources et des racines – voilà par où chercher ! Comme ces millions d'Anglais férus d'excursions au bord des lacs ou d'escalades au flanc des cimes[63], loin des centres d'affaires, des zones industrielles et des hypermarchés – là-bas je trouverai ! Et comme les moutons en somme, que nul n'a jamais délogés de cet arrière-pays ingrat et admirable, qui ne se demandent pas si l'herbe des vallons est traditionnelle ou futuriste et se fichent pas mal du cours de la laine au Stock Exchange !

J'ai bien cru trouver dans le Lake District ce qui me manquait tant, après toutes ces embardées entre passé et avenir, nostalgie et espoir... Les *fells* (montagnes) et les *pikes* (pitons) semblaient sauvages à souhait, les *forces* (cascades) et les *tarns* (lacs de montagne) respiraient l'inviolé, les *ghylls* (les ravins) et les *becks* (ruisseaux) recréaient çà et là des fragments d'Eden, avec juste ce qu'il fallait d'agrestes bergeries, de ponts moussus et de festivités villageoises pour la touche bucolique et pittoresque...

Ici au moins, ce peuple admirable mais si imprévisible et troublant ne s'était pas ingénié à brouiller l'immémorial et le futuriste, à peupler le paysage de souvenirs artistement réinventés, à dissimuler sous les buissons des rouge gorges transistorisés (mais chantant juste) et des lutins de synthèse qu'un enchanteur breton aurait pris pour des vrais ! Enfin la nature vraie, intacte, vierge !

> *"Je me promenais, solitaire comme un nuage*
> *Flottant loin par dessus vallons et collines,*
> *Quand tout à coup j'aperçus..."*
> WILLIAM WORDSWORTH, Daffodils.

Pour moi, hélas, ce ne furent pas les jonquilles de Wordsworth que j'aperçus, mais bien autre chose encore !

J'avais failli croire au Lake District, pourtant – jusqu'à ce qu'un paysan à l'allure fort authentique m'apprenne, avec un accent à couper au couteau, que le National Trust (cette fabuleuse et gigantesque institution chargée de préserver –

62. Autant le romantisme des Allemands était affaire de philosophes et d'historiens patriotes, autant celui des Anglais sera affaire de poètes et de peintres en quête de jolis coins où se ressourcer et de panoramas à contempler en rêvant à l'éternité – en quoi d'ailleurs on compte sur les doigts d'une main les grands poètes ou artistes anglais qui, depuis le Moyen Age, ne soient pas avant tout des romantiques !

63. Bien avant même les paris, la randonnée et la flânerie rustique (neuf millions de marcheurs officiellement affiliés) restent de loin l'activité de loisir la plus assidûment pratiquée par les Anglais de toutes classes, sans parler – pour rester dans la verdure – de la pêche, du golf, de la chasse ou du jardinage...

avec le soin jaloux d'un jardinier anglais mais à l'échelle d'immenses portions du territoire national – landes, rivages, forêts et rivières, mais aussi monastères et châteaux, les ruines avec leur fantôme, et encore les usines désaffectées, les puits de mine à la retraite et les voies ferrées laissées à la jouissance des touristes) le rémunérait cinq cents livres l'an pour chaque hectare méticuleusement entretenu à l'état "sauvage" ; qu'un pêcheur à l'ancienne perché sur son coin de récif me rappelle que, précisément sous nos pieds, les galeries d'un riche charbonnage (probablement muséifié lui aussi) s'engageaient sous le fond marin ; et qu'un promeneur à la moustache impeccablement rustique m'indique, comme si c'était la chose la plus naturelle au monde, que je trouverais la ruine médiévale recherchée "au prochain détour du sentier, entre le vieux village et la nouvelle centrale atomique" !

Windscale, un matin de voyage.

Samantha, ma grande fille chérie,

Je t'écris d'un *bed & breakfast* où nous nous trouvons dans un charmant village de pêcheurs.

Imagine-moi, pied photo sous un bras, caméra sous l'autre, magnéto en bandoulière, appareil photo accroché sur l'épaule... Dois-je te préciser que dans les poches de ma veste-reporter il y a biberons, biscuits, couches, lingettes... Autant d'objets indispensables au bon déroulement de mon voyage...

J'entraîne ta petite sœur Sigrid, ton petit frère Suliac, la baby-sitter, les poupées Barbie et Nounours sur tous les lieux de tournage. Nous formons une équipe sympa et dynamique, soudée et pleine de vie.

Les enfants adorent l'Angleterre, et je les comprends : comment ne pas aimer un pays où les pubs ont des aires de jeux pour les petits, où les chariots de supermarché ont deux sièges pour les bébés, où il y a des poubelles pour crottes de chien, et où l'on peut grimper "sur le toit" des autobus ? Sans parler de tous ces "grands" qui jouent avec beaucoup de sérieux à énormément de jeux qu'ils reconnaissent !

Ici les uns jouent aux cow-boys et aux Indiens à la mode locale : légionnaires cuirassés contre Celtes peinturlurés, "Cavaliers" contre "Têtes rondes" du temps de la guerre civile, voire *Beefeaters* de la tour de Londres contre punks à la crête violette ou rose fluo. Bref on ne sait plus qui est déguisé et qui ne l'est pas. Entre *tradition et excentricité* il n'y a qu'un pas.

A Hastings, nous avons vu danser *Jack-in-the-Green*, un homme costumé en arbre selon une vieille tradition païenne et, à Abbots Bromley, des danseurs qui exécutaient une antique *morris-dance*, coiffés de cornes de cerf. D'autres s'amusent avec des trains miniatures (nous avons fait plusieurs excursions à bord de ces machines à vapeur amoureusement restaurées). Ajoute à ça les chocolats Cadbury, et tu devineras que les enfants sont aux anges !

Le village est très anglais lui aussi, c'est-à-dire pittoresque en diable ! On y voit les ruines d'une abbaye cistercienne nichée dans la bruyère, une immense croix de pierre dressée par les Vikings tout à côté d'un cottage si mignon qu'on s'imagine dans un livre pour enfants de Beatrix Potter (une enfant du pays).

Comment trouves-tu la carte postale que j'ai choisie pour toi ? Non, ce n'est pas la gagnante d'un concours de grimaces : cette dame à l'air revêche coiffée d'un grand chapeau à la mode victorienne, c'est la Grande-Bretagne, luttant pour maintenir une démarche digne malgré le vent mauvais soufflant vers l'Atlantique et le gros chien (l'Irlande) qui essaie de se dégager de sa laisse. C'est assez ressemblant... (Pour l'instant, je me trouve exactement sur le coude de la dame.)

Mais il est d'autres façons, tout aussi curieuses, d'interpréter la même silhouette. Pour l'Américain Ralph Waldo Emerson, "de par sa configuration, l'Angleterre ressemble à un bateau" : une image qui parle au cœur des Anglais ! Mais je les crois capables, avec leur sens de l'humour très particulier, d'apprécier tout autant la vision bizarre d'un autre Américain, Paul Théroux : "l'L'Angleterre, bien sûr, ressemble à un cochon. Regardez-y de plus près : *it's a pig !* La pointe sud du pays de Galles forme son groin, Anglesey et le Caern-Arvon ses oreilles, la Cornouailles ses pattes qui s'agitent, et le Sud sa croupe. Vue dans son ensemble, la Grande-Bretagne rappelle une sorcière chevauchant ce quadrupède, chapeau pointu et visage renfrogné dessiné par l'Ouest de l'Ecosse[64]..."

Ce n'est pas que Théroux n'aime pas l'Angleterre ; mais il l'aime d'une façon assez extravagante, un peu rosse et avec une drôlerie toujours inattendue – d'une façon très anglaise précisément : "Annoncez à un Anglais, s'étonne-t-il, que vous projetez de visiter la Grande-Bretagne, et il vous répondra que ce sera aussi passionnant que de pourchasser une souris dans un pot de chambre !" (Hum !) Ceci dit avec un petit sourire pincé et l'air très digne, évidemment !

64. Paul Théroux, *Voyage excentrique et ferroviaire autour du Royaume-Uni.*

C'est encore Théroux qui a cette description terriblement anglaise à propos des blanches falaises de Douvres – j'y pensais tout à l'heure en me promenant près d'ici sur cet autre splendide rivage dont on a du mal à se dire qu'il est miné en profondeur par des galeries de charbon qui se prolongent sous la mer : "FALAISES DANGEREUSES, annonçaient des pancartes, rappelant aux promeneurs de ne pas s'approcher du bord. La craie s'érodait et de larges pans s'étaient effondrés sur la plage. Ces falaises de craie du Kent, de loin si blanches et si robustes, étaient fragiles, friables, et cette côte faisait ressembler la Grande-Bretagne à un gâteau rassis qui s'émiettait, ramolli par la pluie !"

Quant à moi, je te promets de rentrer bien avant que la pluie ait pu "ramollir ce gâteau", comme on dit en argot *cockney* de Londres... Ce ne sera cependant pas la semaine prochaine car si j'ai déjà vu infiniment de choses très belles ou très drôles ou très émouvantes, et souvent les trois ensemble, je me suis fait la promesse d'aller me réciter un des terribles poèmes d'Emily Brontë en me promenant sur les *moors* du Yorkshire. (J'irai sans doute voir York aussi, une ville dont on me dit qu'elle est presque aussi belle qu'un village anglais – ce qui serait vraiment inouï !).

J'ai très envie de passer au moins une semaine au British Museum (ce qui, même au pas de course, sera à peine suffisant), de voir une troupe d'amateurs (toutes y font merveille) jouer *Le Songe d'une nuit d'été* de Shakespeare et d'aller acheter mes légumes au marché de Spitalfields, ce vieux quartier de tisserands où des juifs allemands ont succédé à des huguenots français et à des Irlandais en exil avant de céder la place à des confrères bengalis.

Je ne veux pas oublier de déposer des fleurs au pied de la statue de Gândhi à Tavistock Square. Je rêve aussi de commander un verre de rhum au *Jamaïca Inn* et le vider à la santé des contrebandiers de Cornouailles – après avoir vérifié que la Miss Marple d'Agatha Christie ne soit pas cachée derrière son tricot dans le fond de la salle des dames.

On me dit aussi (je pense à Sigrid et Suliac !) qu'un enfant passé neuf fois à travers le trou de la pierre magique de Men-an-Tol, sur la lande près de Land's End, sera protégé de toutes les maladies. Quant à moi, j'aimerais tant prendre le thé à l'Explorer's Club en m'imaginant que j'ai été invitée par le docteur Livingstone, Charles Darwin, le capitaine Cook ou Lawrence d'Arabie, avant d'aller acheter moult fruits antillais, épices indiennes et *pickles* chinois dans le premier supermarché venu ! Cela ne me déplairait pas non plus de déguster des *bangers and mash* (une assiette de saucisses et de purée, en argot *cockney*) sous l'œil flegmatiquement révulsé du portier en livrée d'une boutique *posh* de Bond Street.

Comment ne pas vibrer, enfin, à l'idée d'entendre de nouveau le public d'un concert-promenade reprendre en chœur, à pleine gorge, un air savant de Benjamin Britten (le grand compositeur moderne et le favori des Anglais depuis Haendel); rêver encore aux mystères de l'Orient sur les quais de Southampton ; reprendre jusqu'à son terminus le bus 19 (celui qui traverse tout Londres, des avenues les plus *posh* aux faubourgs les plus pauvres) ; et enfin, te téléphoner d'une belle cabine rouge au beau milieu d'une lande déserte ?

Comme tu vois, notre vie en Angleterre est plus que passionnante. J'enregistre sons, ambiances, musiques qui serviront à illustrer les images que je filme, je prends des photos, je dévore livres et documents... En deux mots : je suis une reporter heureuse et une mère épanouie...

Je t'embrasse affectueusement, à très bientôt,

Ta maman qui t'aime.

L'AUTEUR

Aventurière par vocation, Anne-Sophie Tiberghien est devenue écrivain, cinéaste, reporter-photographe et conférencière à Connaissance du Monde suite à… une grave blessure causée par une flèche empoisonnée au curare, lors d'une guerre tribale aux confins de l'Amazone et de l'Orénoque, où elle vivait parmi les Yanomami, après avoir partagé la vie des Indiens de l'Ouest canadien.

Les deux livres autobiographiques écrits pendant sa convalescence, *Mon cœur s'appelle Amazonie* et *Comme un chat sauvage* (Robert Laffont), connaîtront assez de succès – *via* les plateaux de télévision de Bernard Pivot, Michel Polac et Patrick Poivre d'Arvor – pour lui permettre de se lancer, sitôt rétablie, dans une folle équipée à travers quinze pays sur la trace des Tziganes, à qui elle consacre son premier long métrage et un troisième livre, *Tzigane mon ami* aux éditions Anako.

Son second film a été tourné clandestinement dans la Roumanie d'avant la révolution de 1989. Elle prépare un ouvrage sur ce thème qui lui tient à cœur.

Je remercie mes baby-sitters : Marie Chambron, Julie Bamps, Myriam Aouadi, Noëlle Bray, Caroline Facon, Joëlle Van den Brouck, Martine Lesaffre, grâce auxquelles ce reportage a été possible.

Je remercie Daniel De Bruycker sans qui ce livre n'aurait pu exister.

Quand il ne se consacre pas à la poésie – il a publié *La mer est ronde* (Le Cormier), *Destins nomades* (L'arbre à paroles) et *La Pierre de soi* (Entente) –, Daniel De Bruycker est tour à tour critique de jazz, japonologue, traducteur, dramaturge ou scénariste de jeux interactifs. Il rédige des livres de voyage – *Irlande, l'île fatale* avec Jean-Michel Bertrand et *Lumières sur l'Angleterre* avec Luc Giard chez Barthélemy, la série "Les carnets de route de Tintin" chez Casterman - dessine des labyrinthes ou encore enseigne à écrire aux écoliers.

Dans la même collection

Argentine, des Andes à la Terre de Feu, Jean-Bernard Buisson et Isabelle Larrivaz.
Birmanie, le temps suspendu, Michel Huteau et Stephen Mansfield.
Brésil, la folie grandeur nature, Luc Giard.
Californies (Les Deux), Catherine et Marc Poirel.
Chine insolite des minorités, Patrick Bernard et Michel Huteau.
Graines d'hommes, dirigé par Patrick Bernard.
Inde, l'invitation au voyage, Chantal et Bernard Tubeuf.
Indonésie - Mentawaï, Olivier Lelièvre.
Irlande, le temps retrouvé, Jacques Paul.
Irlande, l'île de toutes les passions, Alain Wodey.
Islande, l'île entre deux mondes, Jean-Louis Mathon.
Karennis, les combattants de la Spirale d'Or, Patrick Bernard et Michel Huteau.
Laos, voyage dans un Etat d'esprit, Michel Huteau.
Maroc, au-delà du voile, Dominique et Robert Jean.
Norvège, porte de l'Arctique, Patrick Bureau et Evelyne Fouquereau.
Pays de Savoie, Jean-Bernard Buisson et Marie-Thérèse Hermann.
Peuples d'Asie centrale, Albert Gruber.
Québec sauvage, Catherine Raoult et Marc Poirel.
Roumanie, Jacky Lebas.
Tamgat nomade mongol, Christiane Drieux et Christian Basset.
Tzigane mon ami, Anne-Sophie Tiberghien.
Zanskar, David et Jacques Ducoin.

Photogravure : 2G Graphic - Paris

236, avenue Victor-Hugo
94120 FONTENAY-SOUS-BOIS - FRANCE
Tél. : 01 43 94 92 88 - Fax : 01 43 94 02 45
http : www.anako.com
Email : anako.edition@anako.com

Dépôt légal : 4e trimestre 1998